PADOVA
la cappella degli scrovegni
GIOTTO

**AZIENDA
PROMOZIONE
TURISTICA
PADOVA**

EDIZIONI STORTI

«Giotto rimutò l'arte del dipingere di greco in latino, e ridusse al moderno». Cosí, verso la fine del Trecento, si esprimeva Cennino Cennini mettendo a fuoco, con una felice intuizione critica, il senso del rinnovamento introdotto dall'artista fiorentino nel campo della pittura. Giotto seppe cioè operare il superamento della rigidezza espressiva dell'arte bizantina, della sua atemporalità e astoricità, della sua mancanza di «pathos», introducendo nella pittura il senso della natura e della storia.

L'esordio cimabuesco di Giotto è un dato ormai storicamente accertato, oltreché consacrato da una tradizione secolare. Cimabue fu elemento fondamentale della sua formazione, e non soltanto per il fatto che da lui derivò alcuni elementi formali che avrebbero caratterizzato il suo linguaggio (il disegno, la forza plastica delle figure, la drammaticità della composizione), ma anche perché costituiva l'esponente massimo, in quel tempo, di una tradizione che Giotto, dopo averla fatta propria, avrebbe superato in direzione di nuovi codici formali ed estetici che interpretavano più direttamente una nuova fase storica; era questo difatti il periodo nel quale si assisteva al rapido affermarsi della classe borghese e allo sgretolarsi della struttura feudale.

Se Cimabue fu elemento imprescindibile della formazione giottesca, altrettanto importanti furono i legami con due grandi artisti del tempo: Pietro Cavallini, con il quale Giotto venne a contatto durante il suo giovanile soggiorno romano, e, in maniera forse ancor più determinante, Arnolfo di Cambio, che aveva saputo recuperare, nell'ambito del suo linguaggio fondamentalmente gotico, alcuni elementi tipici della cultura artistica classica.

La collaborazione di Giotto con Cimabue nella decorazione a fresco della basilica di S. Francesco ad Assisi cominciò intorno al 1290: la mano giottesca è ravvisabile, secondo alcuni, nelle Storie del Nuovo e del Vecchio Testamento, nell'ordine superiore della prima e della seconda campata, dopo che Cimabue aveva ini-

«Giotto transformed the art of painting from the Greek into the Latin tradition and gave it a modern rendering».
These were the words of Cennino Cennini towards the end of the 14th century when with successful critical insight, he put into perspective the sense of renewal which the Florentine artist introduced into the field of painting. That is to say Giotto knew how to overcome the harshness of expression of Byzantine art, its timelessness and non-historicity and its lack of pathos by introducing a sense of nature and of history into painting, thus reestablishing a direct link with the classical artistic tradition but giving it a modern rendering.
Giotto's debut under Cimabue's influence is now an historically ascertained fact, also confirmed by a centuries-old tradition. Cimabue was a fundamental element in his formation, not only because Giotto drew from him some formal elements which were to characterize his language (the drawing, the plasticity of the figures, the dramatic force of the composition) but also because Cimabue was, at that time, the leading exponent of a tradition which Giotto was to make his own and then to surpass, turning towards new formal and aesthetic criteria.
The latter more directly expressed a new historical era; in fact, this was the period when the rapid assertion of the middle class and the breaking up of the feudal system under the pressure of the true needs of the Communes, could be seen.
If Cimabue was the indispensable element in Giotto's development, then just as important were his links with two other great artists of that period: Pietro Cavallini with whom Giotto came into contact during his stay in Rome as a youth, and, perhaps in an even more decisive way, Arnolfo di Cambio who, within the framework of his basically Gothic language, had known how to recover some elements which were typical of the classical artistic tradition.
Giotto's collaboration with Cimabue on the fresco decoration of the Basilica of St. Francis of Assisi began around 1290: according to some, Giotto's hand can be discerned in the Stories from the New and Old Testaments in the top section of the first and second bays, after Cimabue had begun decorating the transept and apse of the up-

«Giotto fit passer l'art de peindre du grec au latin et en fit un art moderne».
Ce sont les mots par lesquels, vers la fin du Trecento, Cennino Cennini définissait, avec une rare intuition critique, l'esprit de novation introduit par l'artiste florentin dans le domaine de la peinture. Giotto parvint à dépasser la rigidité expressive de l'art byzantin relégué hors du temps et hors de l'histoire, son absence de "pathos", en ouvrant l'univers pictural au sentiment de la nature et de l'histoire, recoupant de la sorte les tendances de la culture artistique classique, tempérée maintenant par une syntaxe moderne.
Les débuts de sa carrière artistique, marqués par l'influence de Cimabue, constituent désormais un fait solidement établi et d'ailleurs consacré par une tradition critique de plusieurs siècles. Cimabue représente l'une des données fondamentales de la formation de Giotto: d'abord, c'est chez lui que Giotto puisa certains des éléments formels qui devaient caractériser son propre langage (le dessin, la puissance plastique des figures, la force dramatique de la composition). Mais il convient d'ajouter que Cimabue était à cette époque le représentant le plus éminent d'une tradition dont Giotto a su s'approprier pour la dépasser ensuite en optant en faveur de nouveaux codes formels et esthétiques mieux aptes à exprimer le passage à une nouvelle période historique: on assiste en effet à cette époque à la montée rapide de la bourgeoisie et à la désagrégation des structures féodales.
Si la présence de Cimabue fut essentielle pour la formation du jeune Giotto, il n'en reste pas moins que ce dernier entretint des liens tout aussi importants avec deux autres grands artistes du temps: il s'agit de Pietro Cavallini rencontré dès sa jeunesse durant son séjour romain, et, figure sans doute plus décisive encore, Arnolfo di Cambio qui avait su, dans les limites de son langage fondamentalement gothique, reprendre à son compte certains des éléments typiques de la culture artistique classique.
La collaboration entre Giotto et Cimabue commença dans les années 1290 avec les fresques de la basilique de Saint-François à Assise: certains spécialistes estiment que c'est dans les récits du Nouveau et de l'Ancien

«Giotto wandelte die Kunst der Malerei vom Griechischen ins Lateinische und führte sie zur Moderne». Mit diesen treffenden Worten hob Cennino Cennini bereits gegen Ende des 14. Jahrhunderts die wesentlichsten Erneuerungen hervor, die der florentinische Künstler auf dem Gebiet der Malerei eingeführt hatte. Giotto hatte es nämlich verstanden, die Starrheit des Ausdrucks, die Zeit-und Geschichtslosigkeit und den Mangel an "Pathos", die die byzantinische Malerei gekennzeichnet hatten, zu überwinden und in die Malerei ein Gefühl für Natur und Geschichte hineinzutragen, das unmittelbar an die klassische Kunst anknüpfte, wenn auch mittels moderner Ausdrucksmittel.
Es ist mittlerweile eine historisch gesicherte Tatsache, daß Giottos Anfänge auf Cimabue zurückgehen. Dessen Einfluß war für ihn grundlegend, nicht nur, weil er von ihm einige formale Elemente übernahm, die für seine Zeichensprache charakteristisch werden sollten (Entwurf, Plastizität der Figuren, Dramatik der Komposition), sondern auch, weil jener damals den herausragendsten Vertreter einer Tradition darstellte, die Giotto sich zunächst aneignete, um sie später in Richtung neuer formaler und ästhetischer Gesetze, die die veränderten geschichtlichen Verhältnisse unmittelbarer zum Ausdruck brachten, zu überwinden. Zu jener Zeit nämlich war das Bürgertum zu einer ernstzunehmenden Klasse herangewachsen und die Feudalordnung geriet unter dem Druck der Realität der unabhängigen Stadtrepubliken ins Wanken.
Neben Cimabue waren zwei andere große Künstler seiner Zeit für Giotto von entscheidender Bedeutung: Pietro Cavallini, dessen Bekanntschaft er in jungen Jahren anläßlich eines Aufenthalts in Rom gemacht hatte, und - vermutlich von noch größerer Bedeutung - Arnolfo di Cambio, der im Rahmen seiner grundsätzlich der Gotik verpflichteten Malweise einige typische Elemente der klassischen Kunst übernommen hatte.
Giottos Zusammenarbeit mit Cimabue bei der Freskenbemalung der Kirche S. Francesco in Assisi begann um 1290. In den Geschichten des Alten und Neuen Testaments ist nach einigen Kunsthistorikern die Hand Giottos erkennbar, nachdem Cimabue mit der Bemalung des Querschiffes und der Apsis der Ober-

ziato la decorazione del transetto e dell'abside della basilica superiore. Sicuramente attribuibili a Giotto sono invece gli affreschi del ciclo francescano nella parte inferiore della navata, iniziati subito dopo il 1296: almeno fino alla «Conferma della regola» essi sono autografati e datati. Successivamente, a causa dei gravosi impegni che il pittore aveva assunto con la Curia romana (che lo portarono a Roma a più riprese, soprattutto in occasione del Giubileo del 1300), numerosi riquadri furono eseguiti da scolari, certamente su cartone giottesco, ma con una autonomia che si fece sempre più larga nel corso del tempo. Pochi anni dopo, nel primo decennio del Trecento, Giotto fu a Padova, dove dipinse gli affreschi, ormai perduti, nella basilica francescana di Sant'Antonio e, tra il 1305 e il 1310 circa, completò la decorazione della Cappella degli Scrovegni con le Storie della Madonna e di Cristo; in esse il senso della storia e l'intimo legame che negli affreschi di Assisi univa l'invenzione della storia figurata allo spazio pittorico lasciano il campo a composizioni più mosse nelle quali è marcata la ricerca di valori poetici e lirici caratterizzati da un intenso pathos.

Numerosi furono anche, nel frattempo, i dipinti eseguiti su tavola. Fra tutti, vale la pena ricordare la «Madonna di Ognissanti», conservata agli Uffizi e databile intorno al 1310. Nella trattazione del soggetto tradizionale della Madonna in gloria, si evidenzia tutta la portata del rinnovamento giottesco: il senso di umanità che informa l'intera composizione, il ricorso al chiaroscuro e ad elementi prospettici mostrano come ormai l'artista abbia completamente superato la tradizione bizantina per approdare a nuovi canoni formali ed estetici.

A Padova Giotto ritornò alla metà del secondo decennio del Trecento, per la decorazione, anch'essa perduta, delle volte del Palazzo della Ragione. Gli anni successivi furono invece in gran parte dedicati al lavoro nella madrepatria, a Firenze: il terzo decennio del secolo vanno ascritti gli affreschi della Cappella Peruzzi e della Cappella Bardi nella Chiesa di S. Croce, rispettivamente con scene tratte dalla vita di S. Giovanni Battista e

per Church. On the other hand, the frescoes in the Franciscan cycle in the lower part of the nave, begun immediately after 1296, are without doubt the work of Giotto: they are signed and dated at least up to the «Confirmation of the Rule». Later, because of the heavy commitments the painter had taken on with the Roman Curia (which took him to Rome on several occasions, especially for the Jubilee in 1300), many sections were painted by his followers, certainly according to a cartoon by Giotto but with an autonomy which became increasingly greater in the course of time.
A few years later, during the first decade of the 14th century, Giotto was in Padua where he painted frescoes — now lost — in the Franciscan Basilica of St. Anthony and, between about 1305 and 1310, he completed the decoration of the Scrovegni Chapel with the Stories of the Madonna and of Christ; here the sense of history and the close link which united the creativity of the story depicted to the wall space available in the frescoes in Assisi, are replaced by more animated compositions showing the artist's clear search for poetic and lyrical values characterized by an intense pathos which reaches its climax in the final sections of the Stories of Christ.

In the meantime, he also carried out numerous panel paintings. It is worth remembering his Ognissanti Madonna, kept in the Uffizi, which can be dated back to 1310.

All the significance of Giotto's renewal of style is underlined in his approach to the traditional theme of the Madonna in Glory: the sense of humanity which imbues the whole composition, the recourse to chiaroscuro and to perspective elements show how the artist had by then completely surpassed the Byzantine tradition and was adopting new formal and aesthetic criteria.

Giotto returned to Padua in the middle of the second decade of the 14th century to carry out the decoration — also lost — of the vaults in the Palazzo della Ragione. On the other hand, the following years were mostly dedicated to work in his native city, Florence: his frescoes in the Perruzzi and Bardi Chapels in the S. Croce Church can be ascribed to the third decade of that century. They depict scenes taken from the life of St. John the Baptist and St. John Evangelist, and stories of St. Francis respectively. Here the old themes from

Testament qu'apparaît le dessin de Giotto, dans l'ordre supérieur de la première et de la deuxième travées.
Cimabue avait précédemment entrepris la décoration du transept et de l'abside de la basilique supérieure. En revanche on peut à coup sûr attribuer à Giotto les fresques du cycle franciscain dans la partie inférieure de la nef, commencées juste après 1296, car elles sont autographes et datées, pour le moins jusqu'à La Confirmation de la Règle. Par la suite, ayant pris d'importants engagements avec la curie romaine, Giotto dût se rendre à Rome à plusieurs reprises, notamment à l'occasion du Jubilée de 1300. Aussi plusieurs panneaux furent-ils confiés aux élèves qui, tout en travaillant, certes, sur les cartons du maître, prirent une autonomie qui alla croissant au fur et à mesure que le travail avançait.
Quelques années plus tard, dans la première décennie du Trecento, Giotto vécut à Padue où il peignit les fresques, maintenant perdues, de la basilique franciscaine de Saint-Antoine et, de 1305 à 1310 environ, il acheva la décoration de la chapelle des Scrovegni avec les récits de la vie de la Vierge et du Christ. Ici, le sens de l'histoire et le rapport intime qui, dans les fresques d'Assise, fondait la créativité figurative de l'histoire dans l'espace pictural, cèdent le pas à des compositions plus vives d'où se dégage une recherche de valeurs poétiques et lyriques marquées par une participation émotive intense.
Entretemps Giotto réalisa également de nombreux tableaux sur bois notamment la Vierge d'Ognissanti, conservée à la Galerie des Offices de Florence, qui remonte aux environs de 1310. On saisit ici toute la portée du renouvellement apporté par Giotto, dans sa façon de traiter le sujet traditionnel de la Vierge en gloire: le sentiment profondément humain qui habite la composition tout entière, le recours au clair-obscur et à la perspective, prouvent que l'artiste a totalement dépassé la tradition byzantine pour s'emparer de nouveaux codes formels et esthétiques.
Giotto revient à Padoue au milieu de la seconde décennie du XIVe siècle pour travailler à la décoration — alle aussi perdue — de la voûte du Palais de la Raison. Puis il passe plusieurs des années suivantes à Florence, sa ville natale, années qu'il consacre là encore à son travail: les fresques des chapelles Peruzzi et Bardi, dans l'église de Santa Croce, datent de la troisième

kirche begonnen hatte. Sicher von Giotto stammen hingegen die Fresken des Franziskuszyklus im unteren Teil des Hauptschiffes, mit denen unmittelbar nach 1296 begonnen wurde; zumindest bis zur "Bestätigung der Regel" ist ihre Autorenschaft und Entstehungszeit geklärt. Später, als der Maler von der römischen Kurie wichtige Aufträge übernommen hatte (die ihn mehrmals nach Rom führten, vor allem anläßlich des Jubeljahres 1300) wurden zahlreiche Abschnitte von seinen Gehilfen ausgeführt, die zwar sicher nach seinen Entwürfen arbeiteten, jedoch mit zunehmend größerer Freiheit.
Kurz darauf, in den ersten Jahren des 14. Jahrhunderts, befand sich Giotto in Padua, wo er die heute nicht mehr erhaltenen Fresken in der Franziskanerkirche Sant'Antonio schuf, und, vermutlich zwischen 1305 und 1310, die Bemalung der Arenakapelle mit dem Marien-und Christuszyklus vervollständigte. Das Geschichtsbewußtsein und der enge Zusammenhang, der in den Fresken von Assisi zwischen der Bildergeschichte und dem sie abbildenden Raum bestand, treten nun zugunsten belebterer Kompositionen zurück, in denen die Suche nach poetischen, von Pathos getragenen Werten zum Ausdruck kommt, die in den letzten Abschnitten der Christusgeschichten ihren Höhepunkt erreicht.
In der Zwischenzeit führte Giotto auch zahlreiche auf Holztafeln gemalte Bilder aus, unter denen besonders auf die "Madonna di Ognissanti" verwiesen sei, die um 1310 entstand und heute in den Uffizien hängt. In der Ausarbeitung des traditionellen Themas wird die Tragweite der Neuerungen Giottos deutlich: neben dem Humanitätsgefühl, das die ganze Komposition durchdringt, beweist die Anwendung von Helldunkeleffekten und perspektivischen Elementen, daß der Künstler nunmehr die byzantinische Tradition vollständig überwunden und zu neuen formalen und ästhetischen Gesetzen gefunden hat.
Die darauffolgenden Jahre waren hingegen hauptsächlich in der Vaterstadt Florenz durchgeführten Arbeiten gewidmet. Aus dem dritten Jahrzehnt des 14.Jh. stammen die Fresken der Peruzzi- und der Bardikapelle in der Kirche S. Croce, die jeweils Szenen aus dem Leben des hl. Johannes d.T., des hl. Johannes d.E. und des hl. Franziskus zum Thema haben. Hier werden die Motive von Assisi mit einer mittlerweile reifen Technik und Feinfühligkeit, mit einem ausge-

di S. Giovanni Evangelista, e con storie di S. Francesco. Qui i vecchi temi di Assisi sono ripresi e modulati con una sensibilità ed una tecnica ormai mature, con un senso dell'umanità e della storia orientato in una direzione consapevolmente umanistica.

Gli ultimi anni dell'attività giottesca furono dedicati alla progettazione e alla parziale costruzione del Campanile per il duomo di S. Maria del Fiore. Dai disegni rimastici, appare chiaro come Giotto intendesse conferire alla costruzione una struttura nitida, priva di quella asprezza di contorni e di quella ricchezza decorativa che caratterizzano invece i piani superiori del Campanile, eseguiti da Francesco Talenti. Dell'idea originale giottesca fanno fede gli ordini inferiori, gli unici che l'artista riuscì a completare prima che la morte lo cogliesse, nel 1337.

I contemporanei di Giotto avvertirono con piena consapevolezza l'importanza del «mutamento linguistico» da lui operato. Dante stesso riconobbe la sua grandezza dedicandogli una famosa terzina del Purgatorio («Credette Cimabue ne la pittura aver lo campo, e ora ha Giotto il grido, sì che la fama di colui è scura») (Purg. XI), e riconoscendogli una funzione di sintesi e di superamento delle precedenti esperienze pittoriche, analoga a quella che egli stesso aveva attuato in campo letterario. Petrarca lo definì «nostri aevi princeps», Boccaccio lo fece protagonista di una novella del «Decameron» nella quale tesse uno straordinario elogio dell'artista.

La fama di Giotto proseguì intatta nei secoli successivi. Il Rinascimento vide in lui l'iniziatore dell'età nuova, colui che aveva posto fine all'ossequio nei confronti della tradizione bizantina portando nell'arte «naturalezza» e «gentilezza», come gli riconosceva il Ghiberti. La sua figura si avvolse quasi di un mitico alone di leggenda: la nuova età aveva ormai perso il senso della collocazione storica dell'artista e ne creò un'immagine idealizzata.

Occorreva arrivare al nostro secolo perché la critica riuscisse a liberarsi di queste immagini stereotipe, a ridefinire in termini più corretti il contesto storico-artistico nel quale Giotto visse ed operò e a mettere a fuoco con maggiore precisione i rapporti con Cimabue.

Assisi have been taken up again and put together with a now mature feeling and technique, with a sense of humanity and of history deliberately turned in a humanistic direction.

The last years of Giotto's life were dedicated to designing and partially constructing the Campanile (bell tower) for the S. Maria del Fiore Cathedral. From the drawings which remain, it becomes clear how Giotto intended to give the building a well-defined structure, without that harshness of contours and that decorative richness which nevertheless characterize the upper levels of the Campanile, carried out by Francesco Talenti.

Giotto's contemporaries were fully aware of the importance of the «linguistic change» he was introducing. Dante himself recognized this greatness: he dedicated a famous tercet from his Purgatory to him («Credette Cimabue ne la pittura aver lo campo, e ora ha Giotto il grido, sì che la fama di colui è scura») (Purg. XI), and he credited him with summarizing and surpassing previous pictorial experiences, in a similar way to what he himself had done in literature. Petrarch called him "nostri aevi Princeps"; Boccaccio made him the protagonist of a short story in the "Decameron" in which he paid extraordinary tribute to the artist.

Giotto's fame remained unchanged over the centuries that followed.

The Renaissance saw him as the forerunner of the new era, the person who had put an end to the homage paid to the Byzantine tradition and had brought "naturalness" and "gentleness" to art, just as Ghiberti had recognized.

His figure became almost enveloped in a legendary aurea: the new era had lost all sense of the artist's place in history and it created an idealized image, setting it against that of Cimabue who was seen as the last follower of the Byzantine tradition.

It was not until this century that the critics managed to get away from these stereotyped images, to give a more correct definition of the historical-artistic context in which Giotto lived and worked, and to put his relationship with Cimabue into a much clearer perspective.

However, they continued to credit him with being that innovator who, with his own work, knew how to put an end to medieval artistic trends by introducing the beginnings of the new Renaissance period into the field of painting as well.

décennie du siècle; elles représentent respectivement des scènes de la vie de saint Jean-Baptiste et de saint Jean l'Evangéliste et des récits de la vie de saint François. Les anciens thèmes précédemment traités à Assise sont repris ici et pliés aux exigences d'une sensibilité et d'une technique maintenant dans leur pleine maturité, avec un sens de l'humain et de l'histoire rejoignant consciemment la position humaniste.

Giotto consacre ses dernières années d'activité au projet et à la construction partielle du campanile pour le dôme de Santa Maria del Fiore. Les dessins qui nous sont parvenus témoignent clairement de son intention de donner à cette construction une structure dépouillée, sans les contours âpres et la richesse de la décoration des étages supérieurs, qui furent, eux, réalisés par Francesco Talenti.

Les contemporains de Giotto ne furent pas sans comprendre l'importance de la "transformation linguistique" mise en oeuvre.

Dante en personne lui rendit hommage dans un célèbre tercet du Purgatoire («Credette Cimabue ne la pintura aver lo campo, e ora ha Giotto il grido, si che la fama di colui è scura», Purg. XI), «Bien cuida Cimebeuf en la peinture / tenir le champ, mais Geotton à cette heure / en a le cri, et sur l'aîné vient l'ombre». (Purg. X, 94-97. Trad. André Pézard, Gallimard, Paris, 1965) et reconnut à son oeuvre la fonction de synthèse et de dépassement des expériences picturales précédentes, analogue à ce qu'il avait personnellement accompli dans le domaine littéraire. Pétrarque l'appela "nostri aevi princeps", Boccace en fit le protagoniste d'une nouvelle du Décaméron dans laquelle il lui fait d'extraordinaires éloges.

La renommée de Giotto devait rester intacte au cours des siècles qui suivirent. La Renaissance vit en lui l'initiateur des temps nouveaux, celui qui avait su mettre un terme au respect indiscuté de la tradition byzantine en introduisant le "naturel" et "la douceur" dans l'art, selon les mots de Ghiberti. Les temps nouveaux, oublieux du contexte historique exact qui avait été le sien, l'idéalisèrent et l'opposant à Cimabue en qui ils voyaient le dernier épigone de la tradition byzantine.

Il fallut attendre le XXᵉ siècle pour que la critique parvienne à se défaire de tous ces clichés et à donner une définition plus exacte du contexte historique et artistique dans lequel Giotto vécut et travailla et de ses rapports avec Cimabue.

prägten, humanistisch ausgerichteten Geschichtsbewußtsein wieder aufgegriffen.

Seine letzten Lebensjahre galten dem Entwurf und der teilweisen Durchführung des Glockenturms des Doms von Florenz. Aus den erhaltenen Entwürfen geht ganz klar die Absicht Giottos hervor, dem Bau eine klare Struktur zu verleihen, die nicht die harten Umrisse und die reiche Dekoration aufweisen sollte, die den oberen Teil des Campanile kennzeichnen, wie ihn Francesco Talenti dann ausgeführt hat. Von Giottos Originalentwurf zeugen die unteren Abschnitte, deren Bau der Künstler noch beiwohnen konnte, ehe er 1337 verstarb.

Giottos Zeitgenossen waren sich der Bedeutung der von ihm neu formulierten "Zeichensprache" durchaus bewußt. Dante selbst widmete ihm eine berühmte Terzine des Purgatoriums («Cimabue glaubte, in der Malerei das Feld zu beherrschen, und nun ist Giotto so bekannt, daß jenes Ruhm verblaßte» Purg. XI) und sprach ihm die Leistung zu, die vorangegangene Malerei zusammengefaßt und überwunden zu haben, eine Leistung, wie er sie selbst auf dem Gebiet der Literatur erbracht hatte. Petrarca bezeichnete ihn als "nostri aevi princeps", Boccaccio machte ihn zur Hauptperson einer Geschichte des "Decameron", die dem Künstler sehr zum Lob gereichte.

Giottos Ruhm überdauerte auch die darauffolgenden Jahrhunderte. Die Renaissance sah in ihm den Gründer des neuen Zeitalters, denjenigen, der die Bindung an die byzantinische Tradition überwunden und "Natürlichkeit" und "Gefälligkeit" in die Kunst gebracht hatte, wie Ghiberti es ausdrückte. Seine Person umgab fast die Aura einer Legende, denn das neue Zeitalter verlor zunehmend die Fähigkeit, den Künstler historisch einzuordnen und schuf in ihm ein Gegenbild zu Cimabue, der als der letzte Epigone der byzantinisch orientierten Tradition angesehen wurde.

Es dauerte bis in unser Jahrhundert, ehe sich die Kunstgeschichte von diesen Stereotypen befreite und den historischkünstlerischen Kontext genauer und korrekter rekonstruierte und vor allem Giottos Beziehungen zu Cimabue einer genaueren Untersuchung unterzog. Nichtsdestotrotz bleibt ihm die Leistung zugesprochen, mit seinem Werk der mittelalterlichen Kunst ein Ende gesetzt und in der Malerei die Voraussetzungen für das neue Zeitalter der Renaissance geschaffen zu haben.

| LA CAPPELLA DEGLI SCROVEGNI A PADOVA | THE SCROVEGNI CHAPEL IN PADUA | LA CHAPELLE DES SCROVEGNI A PADOUE | DIE ARENAKAPELLE IN PADUA |

La decorazione a fresco della Cappella degli Scrovegni di Padova costituisce forse il ciclo di opere più significativo lasciatoci da Giotto. La piena maturità dell'arte giottesca si traduce in una serie di figurazioni che esaltano il valore plastico del reale, e ne sottoli-

The frescoes in the Scrovegni Chapel in Padua are perhaps the most important cycle of works left to us by Giotto.
His artistic maturity is expressed in a series of scenes which heighten the plasticity of real life and strongly emphasize its dramatic force, thus creating one

Les fresques de la chapelle des Scrovegni de Padoue constituent probablement le cycle le plus significatif de toute l'oeuvre de Giotto.
Le plein épanouissement artistique du peintre se traduit ici par une série de figurations qui exal-

Die Fresken der Arenakapelle in Padua stellen wohl den bedeutendsten der noch erhaltenen Bilderzyklen Giottos dar. Seine künstlerische Reife findet in einer Reihe von Darstellungen ihren Ausdruck, die die Plastizität des Wirklichen hervorheben und

neano con intensità la forza drammatica dando vita ad uno degli eventi in assoluto più importanti nella storia della pittura europea. L'intervento giottesco nella Cappella degli Scrovegni (o Cappella dell'Arena, in quanto ubicata all'interno dell'area occupata dall'anfiteatro romano) avvenne con tutta probabilità negli anni intorno al 1305. Dalle testimonianze documentarie risulta che Enrico degli Scrovegni, facoltoso esponente di una potente famiglia padovana, acquistò nell'anno 1300 tutto il territorio dell'arena romana allo scopo di costruirvi il proprio palazzo (oggi andato completamente distrutto) con annessa una cappella. La costruzione della chiesetta, autorizzata nel 1302 dal vescovo Ottobono dei Razzi, avvenne in tempi brevi e già nel 1305 la cappella veniva consacrata; sin dall'anno precedente il papa Benedetto XI aveva concesso l'indulgenza ai visitatori della cappella stessa. Se dunque il termine «post quem» è costituito dagli anni 1304-05, sappiamo dalla citazione da parte di Riccobaldo Ferrarese e Francesco da Barberino che nel 1312-13 gli affreschi erano senz'altro completati.

Giotto era già in quegli anni pittore famoso sia per aver collaborato alla decorazione della basilica superiore di Assisi che per l'opera prestata a Roma in occasione del Giubileo del 1300. Furono probabilmente i frati dell'Ordine Minore di Assisi a segnalare ai propri confratelli padovani il nome di Giotto. Già nel 1301-02 il pittore fiorentino era a Padova per eseguirvi gli affreschi, ora perduti, nella Chiesa del Santo. La committenza dello Scrovegni raggiunse dunque l'artista quando egli già soggiornava in Padova.

La cappella, che esternamente presenta una bella facciata in laterizi con portale gotico e coronamento ad archetti, è di piccole dimensioni: misura infatti 30 m. di lunghezza, 8,50 m. in larghezza, ed è alta m. 13. Lo spazio pittorico della cappella risulta quindi meno ampio di quello di Assisi, ed è inoltre asimmetrico, per il fatto che tutte le sei finestre che danno luce all'unica navata

of the most important happenings in the history of European painting. Giotto probably carried out his works in the Scrovegni Chapel (or Arena Chapel since it stands within the area taken up by the Roman amphitheatre) in the years around 1305. Documents show how Enrico degli Scrovegni, a wealthy member of a powerful Paduan family, bought all the Roman amphitheatre area in 1300 on which to build his own palace (now completely destroyed) with an adjoining chapel. The construction of the small church, permission for which was given by Bishop Ottobono dei Razzi in 1302, did not take long and the chapel was already consecrated in 1305; since the previous year Pope Benedict XI had granted indulgence to those who visited this Chapel.
Therefore if the words "post quem" refer to the years 1304-05, then we know from the quotation by Riccobaldo Ferrarese and Francesco da Barberino that the frescoes were without doubt completed in 1312-13.
During those years Giotto was already a famous painter both because he had collaborated on the decoration of the upper Church of Assisi and because of the work he had done in Rome for the Jubilee in 1300. The monks of the Minor Order of Assisi probably recommended Giotto to their Paduan brothers. The Florentine painter was already in Padua in 1301-02 to paint the frescoes — now lost — in the Church of the Saint. Therefore the Scrovegni commission was given to the artist while he was actually staying in Padua.
The Chapel, whose exterior has a beautiful brick façade and a small arch coping, is somewhat small: in fact, it is 30 m. long, 8.50 m. wide and 13 m. high. Therefore this Chapel has less pictorial space than the one in Assisi; furthermore, such space as there is is asymmetrical because all the six windows which illuminate the Church's single nave, are in the wall on the right.
The interior architecture is very simple, with barrel vaults and no architectural structures which could clearly suggest an internal subdivision of the pictorial decoration. Therefore, such a subdivision had to be created pictorially by Giotto himself.
In fact, he surrounded his frescoes with a set of frames composed of wide, false marble strips decorated in cosmatesque style. Inside these strips were lobe-shaped panels depicting

tent la valeur plastique des formes de la réalité et soulignent fortement l'intensité dramatique de la narration, donnant naissance à l'une des manifestations les plus marquantes de l'histoire de la peinture européenne.
Le travail de Giotto dans la chapelle des Scrovegni (ou chapelle des Arènes car elle était située à l'intérieur d'une aire occupée par l'amphithéâtre romain) date vraisemblablement des années 1305. Les documents du temps nous disent qu'Enrico degli Scrovegni, membre fortuné d'une puissante famille padouane, acheta en 1300 tout le terrain des arènes romaines pour y construire sa propre demeure — de nos jours entièrement détruite — avec une chapelle en annexe. La construction de la petite église, autorisée en 1302 par l'évêque Ottobono dei Razzi, alla bon train et la chapelle fut consacrée dès l'an 1305; le pape Benoît XI avait, dès l'année précédente, accordé des indulgences aux visiteurs de cette même chapelle.
En supposant que le terme "post quem" se réfère aux années 1304-1305, nous tenons de Riccobaldo Ferrarese et de Francesco da Barberino que les fresques étaient certainement achevées dans les années 1312-1313.
A cette époque Giotto était déjà célèbre: il avait collaboré à la décoration de la basilique supérieure d'Assisi mais il avait aussi travaillé à Rome à l'occasion du Jubilée de 1300.
La chapelle, qui présente extérieurement une belle façade en brique, avec un portail gothique et un couronnement d'arceaux, est de dimensions modestes: trente mètres de long et huit et demi de large, avec une hauteur de treize mètres. L'espace pictural est donc beaucoup moins vaste qu'à Assise et il est en outre asymétrique puisque les six fenêtres qui illuminent l'unique nef s'ouvrent dans le mur de droite.
A l'intérieur l'architecture est d'une grande simplicité, avec une voûte en berceau, sans moulures architecturales qui auraient pu suggérer de façon précise une certaine subdivision interne de la décoration picturale. C'est en fait à Giotto qu'incomba cette tâche: il encadra les fresques par un jeu de corniches formées de larges bandeaux en faux marbre, décorés à la "comatesque", dans lesquels des panneaux lobés contiennent des figurations d'épisodes de l'Ancien et du Nouveau Testament. Giotto tira également partie du soubassement formé de vastes panneaux en marbre

mit großer Intensität dessen dramatische Kraft herausarbeiten. Man kann in diesem Zusammenhang von einem der mit Abstand größten Ereignisse in der Geschichte der europäischen Malerei sprechen. Giotto begann mit seiner Arbeit an der Arenakapelle (im Italienischen unter dem Namen Cappella degli Scrovegni bekannt) mit großer Wahrscheinlichkeit um 1305. Wie aus geschichtlichen Quellen hervorgeht, erwarb Enrico degli Scrovegni, einflußreiches Mitglied einer mächtigenpadovanischen Familie, im Jahr 1300 das gesamte Gelände der einstigen römischen Arena, um dort für sich einen Palast (heute vollkommen zerstört) und eine dazugehörige Kapelle zu errichten. Der 1302 von dem Bischof Ottobono dei Razzi genehmigte Bau der kleinen Kirche erfolgte in äußerst kurzer Zeit, sodaß die Kapelle bereits im Jahre 1305 geweiht werden konnte. Schon seit dem Jahr zuvor hatte der Papst Benedikt XI. den Besuchern der Kapelle den Ablaß gewährt. Wenn sich also der Begriff "post quem" auf die Jahre 1304/05 bezieht, wissen wir aus schriftlichen Äußerungen Riccobaldo Ferrareses und Francesco da Barberinos mit Sicherheit, daß die Fresken in den Jahren 1312/13 fertiggestellt waren.
In jenen Jahren war der Ruhm Giottos durch seine Mitarbeit an der Dekoration der Oberkirche in Assisi und durch die anläßlich des Jubeljahrs 1300 geleistete Auftragsarbeit in Rom bereits begründet. Vermutlich empfahlen die Brüder des Minoriterordens von Assisi ihren padovanischen Glaubensbrüdern Giotto als Maler, welcher sich bereits in den Jahren 1301-02 anläßlich der Arbeiten an den heute nicht mehr erhaltenen Fresken in der Kirche des hl. Antonius in Padua befand. Der Auftrag Scrovegnis erreichte ihn also zu einem Zeitpunkt, als der Künstler sich bereits in Padua aufhielt.
Die Kapelle, außen mit einer schönen Ziegelfassade mit gotischem Portal und abschließenden kleinen Bögen versehen, verfügt über geringe Ausmaße: sie ist 30 m lang, 8,50 m breit und 13 m hoch. Der für die Bemalung zur Verfügung stehende Raum ist also wesentlich kleiner als der in Assisi und zudem asymmetrisch, da alle sechs Fenster der einschiffigen Kirche sich an der rechten Wand befinden.
Die Innengestaltung ist sehr einfach, neben dem Tonnengewölbe gibt es keine architektonische Gliederung, die eine innere Unterteilung der Bemalung vorgeben würde.

della chiesa si aprono sulla parete destra.

L'architettura interna è molto semplice, voltata a botte, priva di membrature architettoniche che potessero suggerire in maniera precisa una suddivisione interna della decorazione pittorica. Tale suddivisione dovette quindi essere creata pittoricamente da Giotto stesso, che riquadrò gli affreschi con un sistema di cornici costituite da larghe fasce in finto marmo, decorate alla «cosmatesca» nelle quali si aprono delle formelle lobate occupate da figurazioni di episodi del Vecchio e del Nuovo Testamento. Pittoricamente reso è anche il basamento, costituito da ampie specchiature di marmi (secondo uno schema che si ritroverà nella base del campanile del duomo fiorentino); tra queste specchiature marmoree si inserisce una serie di pitture monocrome che rappresentano le allegorie delle Virtù e dei Vizi contrapposti. La volta a botte è decorata con un cielo stellato all'interno del quale si aprono dei medaglioni con figurazioni di profeti, di Cristo e della Vergine.

Il tema degli affreschi è costituito da episodi della vita di Gesù sino alla Pentecoste, e dagli eventi che precedettero la nascita del Cristo: la storia di Gioacchino, di S. Anna ed episodi della vita della Madonna. La narrazione pittorica si svolge su tre zone sovrapposte ed inizia nella zona superiore della parete destra, con i sei riquadri che illustrano la storia di Gioacchino, per proseguire poi sulla parete di fronte con gli affreschi della vita di Maria. L'episodio dell'Annunciazione è situato ai lati dell'arco trionfale, sulla lunetta del quale si trova la figurazione dell'Eterno che affida all'arcangelo Gabriele la missione dell'annuncio.
Al di sotto dei due riquadri dell'Annunciazione sono dipinti due «coretti» che, seppur slegati dal contesto tematico, appaiono di grande interesse in quanto costituiscono un sorprendente anticipo delle soluzioni prospettiche quattrocentesche. Le storie della vita di Gesù hanno inizio nella fascia mediana della parete destra, con cinque riquadri, dalla Natività alla Strage degli Innocenti; sulla parete opposta la narrazione continua con gli episodi dal ritrovamento di Gesù tra i dottori alla Caccia-

scenes from the Old and New Testaments. The wall base has also been decorated: it comprises a series of monochrome paintings representing the opposing allegories of the Virtues and the Vices, inserted between wide marble sections (according to a design which was to be repeated on the base of the bell tower of Florence's Cathedral). The barrel vault is decorated as a starry sky with medallions containing the figures of prophets, Christ and the Virgin.

The theme of the frescoes is made up of episodes from the life of Jesus up until Pentecost, and of the events which preceded Christ's birth: the story of Joachim, of St. Anne and episodes from the life of the Madonna. This pictorial narrative unfolds over three overlapping areas and begins in the upper area of the right wall with the six sections illustrating the story of Joachim. It then continues on the opposite wall with the frescoes depicting the life of Mary.
The Annunciation is depicted at the sides of the triumphal arch on whose lunette we find the figure of the Everlasting who assigns the annunciation mission to the Archangel Gabriel.
Two "coretti" have been painted beneath the two Annunciation sections. Although they are out of context, they are of great interest since they constitute a surprising forerunner of the 15th century use of perspective.
The stories of the life of Christ begin in the middle part of the right wall with five sections going from the Nativity to the Slaughter of the Innocents; on the opposite wall the narrative continues with the episodes from finding Jesus among the elders to the expulsion of the merchants from the Temple. The Passion of Christ, from the Last Supper to the Flagellation, is depicted on the lower part of the right wall, and on the left wall the Ascent to Calvary to Pentecost. The Last Judgement is portrayed on the entrance wall, with the mandorla of Christ standing out in the centre between two arrays of angels and, on one side the crowd of the blessed and, on the other, the damned sinking into the pits of hell.
The critics agree that there is less outside help by Giotto's collaborators in decorating this Chapel than in the Basilica in Assisi: Giotto's hand is present almost everywhere, except perhaps for some parts of the Last Judgement which was completed by collaborators who, nevertheless, worked under the artist's direct supervision;

(suivant un modèle que l'on retrouvera dans la partie inférieure du campanile du dôme de Florence); dans trois d'entre eux s'inscrivent une succession de peintures monochromes représentant les allégories de la Vertu et des Vices. La voûte en berceau est décorée d'un ciel étoilé dans lequel s'ouvrent des médaillons avec des figures des prophètes, du Christ et de la Vierge.
Les fresques ont pour thème des épisodes de la vie de Jésus jusqu'à la Pentecôte et des événements précédant sa naissance: l'histoire de Joachim, celle de sainte Anne et des épisodes de la vie de la Vierge. Le cycle narratif occupe trois parties superposés et commence dans la partie supérieure de la paroi de droite avec les six panneaux de l'histoire de Joachim; il continue en face avec les fresques de la vie de Marie. L'Annonciation occupe les côtés de l'arc de triomphe; dans la lunette de l'arc, la représentation de l'Eternel confiant à l'archange Gabriel la mission de l'Annonciation.
Au-dessous des deux panneaux de l'Annonciation se trouvent deux petits "choeurs" particulièrement intéressants bien qu'ils soient étrangers au contexte thématique général. Ils constituent en réalité une surprenante anticipation des solutions qu'offrira la perspective au XVe siècle. Les récits de la vie de Jésus — de la Nativité au Massacre des Innocents qui occupent cinq panneaux — commencent dans la bande médiane du mur de droite. Le récit continue sur le mur d'en face avec les épisodes présentant Jésus parmi les docteurs et chassant les marchands du temple. Dans la bande inférieure du mur de droite, les épisodes de la Passion du Christ, de la dernière Cène à la Flagellation, à gauche, de la Montée au calvaire à la Pentecôte. Sur la face interne du mur de l'entrée, le Jugement dernier; la mandorle dans laquelle apparaît le Christ occupe le centre, entre deux rangées d'anges et la foule des bienheureux d'un côté; de l'autre, les damnés s'abîmant dans les fosses de l'enfer.
Les critiques admettent d'un commun accord que l'intervention des collaborateurs et des aides de Giotto fut moins importante à Padoue que dans la basilique d'Assise. L'autographie giottesque est pratiquement complète, sauf pour certaines parties du Jugement dernier qui furent réalisées par des aides travaillant sous la rigoureuse surveillance du maître.
Du point de vue technique, Giotto recourt ici, plus fréquem-

Diese mußte also von Giotto selbst mit malerischen Mitteln geschaffen werden. Er umrahmte die Fresken mittels breiter, Marmor imitierender Bänder, die im Stil der Marmorarbeiten des Latium ("alla cosmatesca") verziert sind und innerhalb derer sich gelappte Tafeln öffnen, auf denen Geschichten des Alten und Neuen Testaments dargestellt sind. Auch der Sockel ist durch malerische Effekte geschaffen und besteht aus weiten Marmorfeldern (nach dem Modell des Glockenturmsockels des Doms zu Florenz), zwischen denen sich eine Reihe einfarbiger Bilder befinden, die die allegorischen Darstellungen der Tugenden und der ihnene entsprechenden Laster zum Thema haben.
Das Tonnengewölbe ist mit einem Sternenhimmel bedeckt, innerhalb dessen Medaillons mit Abbildungen der Propheten, Christus und der Jungfrau angebracht sind.
Das Thema der Fresken bilden Episoden aus dem Leben Jesu bis zur Erscheinung des Hl. Geistes und die Ereignisse, die der Geburt Christi vorausgingen: die Geschichte des Joachim, der hl. Anna und Geschichten aus dem Leben der Madonna. Die Bildergeschichten sind in drei übereinanderliegenden Feldern angelegt und beginnen im oberen Teil der rechten Wand mit den sechs Abteilungen, die die Geschichte des Joachim wiedergeben, um dann auf der gegenüberliegenden Wand mit den Marienfresken fortzufahren. Die Verkündigungsszene befindet sich auf beiden Seiten des Triumphbogens, auf dessen Lünette der Allmächtige thront, welcher dem Erzengel Gabriel den Auftrag der Verkündigung anvertraut.
Unterhalb die Verkündigungsbilder sind zwei kleine Chöre gemalt, die zwar thematisch unvermittelt, aber insofern von größtem Interesse sind, als sie die Perspektivemalerei des 15.Jh. auf erstaunliche Weise vorwegnehmen. Die Geschichten aus dem Leben Jesu beginnen im mittleren Band der rechten Wand mit fünf Bildern, von Christi Geburt bis zum bethlehemitischen Kindermord.
Der Zyklus setzt sich auf der gegenüberliegenden Wand mit weiteren Episoden von der Zusammenkunft Jesu mit den Schriftgelehrten bis zur Vertreibung der Wechsler aus dem Tempel fort. Auf dem unteren Band der rechten Wand ist die Leidensgeschichte Christi vom letzten Abendmahl bis zur Geißelung dargestellt und auf der linken Wand von der Kreuztragung bis zur Ausgießung des

ta dei mercanti dal Tempio. Sulla fascia inferiore della parete destra sono raffigurati gli eventi della Passione di Cristo, dall'Ultima Cena alla Flagellazione, e, sulla parete sinistra, dall'Andata al Calvario alla Pentecoste. All'interno della parete d'ingresso è raffigurato il Giudizio Universale, con la mandorla di Cristo che campeggia al centro.

L'intervento di aiuti e collaboratori di Giotto nella decorazione della Cappella è considerato concordemente dalla critica minore che non nella basilica di Assisi: l'autografia giottesca è pressoché completa, tranne per alcune parti del Giudizio Universale compiute da collaboratori che operavano però sotto la diretta sorveglianza dell'artista.

Dal punto di vista tecnico, l'esecuzione degli affreschi è caratterizzata da un uso più frequente, rispetto alle prove assisiati, di ritocchi eseguiti a tempera sull'intonaco asciutto. In confronto ad Assisi, è evidente la maturazione del discorso giottesco: la stesura pittorica si libera di quelle asperità presenti nelle storie francescane ed è più morbida.

L'accentuazione dei valori plastici delle figure risulta evidente mano a mano che si prosegue dalle storie di Gioacchino, le prime eseguite, alle storie della vita di Cristo; ma è plasticità solenne, non mai enfatica e declamata.

L'attenzione alle architetture è sempre precisa, con una capacità di resa prospettica assai vicina a quelle regole che saranno codificate dalla prospettiva rinascimentale. Nelle figurazioni della Cappella degli Scrovegni ha fatto ormai piena irruzione quel senso della storia e della natura che già aveva costituito la grande novità del ciclo assisiate. La storia è colta e vissuta in tutta la sua drammaticità: l'intensità e l'altezza del «pathos» si esprimono nella dinamica dei gesti dei personaggi, nel ritmo delle linee e dei colori, e raggiungono forse il loro culmine nel riquadro che raffigura il Compianto sul Cristo morto.

L'irruzione del senso storico nella pittura padovana di Giotto è riflesso dell'irruzione nella storia della classe borghese, destinata a veicolare con sé una nuova cultura e una nuova civiltà.

however, we can be sure that Giotto frescoed the figure of Christ in the mandorla, the Madonna and the Saints around her, and some other sections. From the technical point of view, the frescoes are characterized by the more frequent use, with respect to those in Assisi, of final touches done in tempera on dry plaster. Compared to Assisi, Giotto's maturity is clear: the brushwork is free of that roughness present in the Franciscan stories and is softer. The emphasis on the plasticity of the figures becomes clear as the work continues, from the stories of Joachim, the first to be painted, to the stories from the life of Christ; however, it is a solemn plasticity, never too emphatic or declaimed. The attention to architecture is always precise; the ability to create perspectives comes very close to those rules which will be codified by Renaissance perspective. The portrayals in the Scrovegni Chapel were fully invaded by that sense of history and of nature which had already been the great novelty in the cycle in Assisi. The story is taken and lived in all its dramatic force: the intensity and height of pathos are expressed in the vitality of the figures' gestures, in the rhythm of the lines and colours, and perhaps reach their climax in the section depicting the ''Lamentation for Christ''.
This invasion by the sense of history into Giotto's Paduan paintings is a reflection of the middle class's assertion in history into which it was destined to bring a new culture and a new civilization, so discerningly anticipated in the work of the Florentine painter.

ment qu'à Assise, aux retouches à la détrempe sur l'enduit sec. Par rapport à Assise, l'artiste jouit ici, de toute évidence, d'une parfaite maturité qui lui permet de libérer la couleur des aspérités présentes dans le cycle franciscain et de s'exprimer d'un trait plus souple.

Les valeurs plastiques des figures s'affirment au fur et à mesure que le cycle narratif passe des récits de Joachim — exécutés en premier — à ceux de la vie du Christ.

Cette plasticité, simplement solennelle, se garde de toute emphase déclamatoire. Toujours très attentif à la structure architecturale, Giotto travaille avec précision, s'acheminant, par le soin qu'il accorde aux effets de perspective, aux règles que codifieront plus tard les artistes de la Renaissance. Le sens de la narration historique et de la nature, qui avait constitué la grande innovation des fresques d'Assise, s'affirme en pleine liberté dans la chapelle des Scrovegni. L'histoire est vécue et présentée dans toute sa force dramatique: l'intensité et la violence du pathos s'expriment à travers le jeu dynamique des gestes des prsonnages et le rythme du trait et des couleurs, pour atteindre leur point culminant dans le panneau représentant la scène de la douleur devant le Christ mort.

L'irruption du sens de l'histoire dans le cycle padouan de l'oeuvre de Giotto correspond à l'arrivée de la bourgeoisie sur la scène politique; cette même bourgeoisie avec laquelle s'affirment une culture et une civilisation nouvelles, déjà clairement présentes chez Giotto.

Hl.Geistes. Auf der Eingangswand ist das Jüngste Gericht wiedergegeben, wobei Christus in der Mitte zwischen zwei Reihen von Engeln und der Schar der Seligen auf der einen Seite, den den Höllenqualen anheimgegebenen Verdammten auf der anderen Seite thront.

Der von Gehilfen Giottos geleistete Anteil an der Kapellenbemalung wird von den Kunsthistorikern einstimmig als geringer als in der Basilika von Assisi bezeichnet. Die Autorenschaft Giottos ist bis auf einige Teile des Jüngsten Gerichts gesichert, und auch wenn an letzterem Schüler beteiligt waren, so geschah dies doch unter der strengen Aufsicht des Meisters. Giotto selbst führte zumindest die Figur des Christus, die der Maria und der sie begleitenden Heiligen und einige andere Abschnitte aus.

In maltechnischer Hinsicht zeichnet sich die Arbeit in Padua im Gegensatz zu den Fresken in Assisi durch häufigere nachträglich vorgenommene Verbesserungen in Temperamalerei auf den trockenen Verputz aus. Im Vergleich zu Assisi wird die Reife der Ausdrucksmittel Giottos deutlich: seine Malerei hat sich nunmehr von der Herbheit der Franziskusgeschichten befreit und ist weicher geworden. Von den als erstes durchgeführten Figuren bis zu den letzten kann man eine zunehmende Plastizität in ihrer Darstellung beobachten, und zwar eine feierliche Plastizität, die niemals emphatisch und schwülstig wird. Der Architektur wird stets große Sorgfalt gewidmet, wobei eine Fähigkeit zur perspektivischen Wiedergabe zum Ausdruck kommt, die nicht mehr weit entfernt von den in der Renaissance entwickelten Perspektivegesetzen ist. In die Darstellungen der Arenakapelle ist jenes Geschichts-und Naturbewußtsein eigengangen, das die große Neuheit des Assisi-Zyklus dargestellt hatte. Die Geschichte ist in ihrer ganzen Dramatik erfaßt und wiedergegeben, die Intensität und Höhe des ''Pathos'' drücken sich in der bewegten Haltung der Figuren aus, in dem Rhythmus der Linien und Farben und erreichen wohl ihren Höhepunkt in der Darstellung der Beweinung des toten Christus. Der Einbruch des Geschichtsbewußtseins in die padovanische Malerei Giottos spiegelt den Eintritt des Bürgertums in die Geschichte wider, der eine neue Kultur hervorbringen sollte, die im Werk des florentinischen Malers so treffend vorweggenommen wurde.

Nel presbiterio della cappella, sull'altare, si possono ammirare tre belle statue di Nicola Pisano raffiguranti la Madonna e due angeli. Nelle pareti dell'abside sono dipinte 6 Scene della morte e della glorificazione di Maria, ad opera probabilmente di pittori riminesi, mentre nelle due nicchie ai lati dell'altare sono due affreschi con 2 Madonne allattanti, di Giusto de' Menabuoi.

Nella zona retrostante all'altare è collocato il sepolcro di Enrico Scrovegni, committente padovano di Giotto.

On the altar in the Chapel presbytery you can admire three beautiful statues by Nicola Pisano depicting the Madonna and two angels.

Six scenes of the death and glorification of the Virgin Mary have been painted on the apse walls, probably by painters from Rimini, while the two niches on each side of the altar contain two frescoes of two Madonnas feeding their child by Giusto de' Menabuoi.
The tomb of Enrico Scrovegni, Giotto's patron, stands behind the altar.

Dans le presbytérium de la chapelle, sur l'autel, on peut admirer trois belles statues de Nicola Pisano, représentant la Vierge et deux anges. Sur les murs de l'abside sont peintes six scènes représentant la mort et la glorification de Marie, vraisemblablement réalisées par des peintres de Rimini. Dans les deux niches entourant l'autel se trouvent deux fresques montrant la Vierge allaitant son enfant, dues à Giusto de' Menabuoi.

Le sépulcre de Enrico Scrovegni, le commettant padouan de Giotto, est placé derrière l'autel.

Auf dem Altar im Chorraum der Kapelle sind drei schöne Statuen von Nicola Pisano sehenswert, die die Madonna und zwei Engel darstellen. Die Wände der Apsis sind mit 6 Szenen, die den Tod und die Verherrlichung Mariens zum Thema haben, bemalt, vermutlich ein Werk der Schule von Rimini, während die Nischen zu beiden Seiten des Altars zwei Fresken mit stillenden Madonnenbildern aufweisen, die von Giusto de'Menabuoi stammen. Hinter dem Altar befindet sich das Grabmal des Enrico Scrovegni, dem padovanischen Auftraggeber Giottos.

1

Inizia con questo scomparto la serie delle storie di Gioacchino, i cui elementi (come pure quelli della vita di Maria) sono tratti dal protoevangelo di S. Giacomo. L'affresco illustra l'episodio nel quale il vecchio Gioacchino, presentandosi al Tempio per fare i sacrifici rituali, viene scacciato dal sacerdote Ruben perché il suo matrimonio era rimasto infecondo: questo fatto era considerato dagli ebrei come segno di malevolenza da parte della divinità.

Per la maggior parte degli studiosi si tratta del primo affresco eseguito in senso cronologico. Il dolore causato dall'espulsione, che si legge nel volto di Gioacchino, è accentuato dal contrasto con il fedele che viene invece accolto nel Tempio e confortato dal sacerdote.

This section is the first in the series of stories of Joachim; like the stories from the life of Mary, It is based on the Protevangelium or Book of James.

The fresco illustrates the episode when the old Joachim went to the Temple to carry out the sacrificial rites but was driven away by the priest Ruben because his marriage had been childless: the Jews considered this fact a sign of malevolence on the part of God.

Most scholars agree that this is the first fresco, chronologically speaking.
The grief caused by his rejection, which can be read in Joachim's face, is underlined by the contrast with the believer who is welcomed into the Temple and comforted by the priest.

C'est ici que commence la série des récits de Joachim, dont les éléments, comme d'ailleurs ceux de la vie de Marie, sont tirés du proto-évangile de saint Jacques. Dans cette fresque le vieux Joachim, qui s'était présenté au temple pour accomplir les sacrifices rituels, en est chassé par le prêtre Ruben pour n'avoir pas eu d'enfants de son mariage, ce que les Hébreux tenaient comme un signe néfaste de Dieu.

La plupart des spécialiste estiment qu'il s'agit de la première fresque exécutée par Giotto dans la chapelle.

On lit sur les traits de Joachim la souffrance provoquée par cette mesure d'expulsion et accentuée par le contraste avec le fidèle qui, lui, est accueilli dans le temple et réconforté par un prêtre.

Mit diesem Abschnitt beginnt der Joachim-Zyklus, dessen Einzelheiten (wie diejenigen des Marienzyklus) den apokryphen Evangelien entnommen sind. Das Freskenbild stellt den greisen Joachim dar, der sich zur Opferhandlung in den Tempel begibt und von dem Priester Ruben vertrieben wird, weil seine Ehe unfruchtbar geblieben war, ein Vorkommnis, das von den Juden als Zeichen der göttlichen Ungnade angesehen wurde.

Für den Großteil der Kunsthistoriker handelt es sich hierbei um die zeitlich als erste durchgeführte Freskenmalerei. Der Schmerz über die Vertreibung, der dem Antlitz Joachims abzulesen ist, wird durch die Gegenüberstellung mit dem Gläubigen betont, der im Tempel aufgenommen wird und die Tröstung des Priesters empfängt.

2

L'affresco illustra il momento in cui Gioacchino, espulso dal Tempio, si ritira in penitenza tra i propri pastori.

Si tratta di una delle scene più famose del ciclo: su uno sfondo rupestre, che ricorda i fondali rocciosi del ciclo assisiate ma con tratti più morbidi, si svolge l'incontro tra Gioacchino, mortificato, e i pastori, atteggiati a un sentimento di rispettosa accoglienza.
Alla profonda espressività delle tre figure si contrappone l'accoglienza festosa del cane.

This fresco illustrates the moment when Joachim, after his being rejected from the Temple, withdraws in penance among his own shepherds.
This is one of the most famous scenes in the cycle: the meeting between the humiliated Joachim and the shepherds with their expressions of respectful welcome, takes place against a craggy background which recalls the rocky landscapes of the Assisi cycle, painted here with softer strokes.
The strong expressive force of the three figures contrasts with the dog's joyful welcome.

Chassé du temple, Joachim se retire parmi ses propres bergers pour expier ses fautes.
C'est l'une des scènes les plus célèbres de tout le cycle.
La rencontre de Joachim, mortifié, avec les bergers qui l'accueillent plein de respect, se déroule sur un fond rupestre qui rappelle, bien qu'il soit traité avec plus de souplesse, les paysages rocheux servant de fond aux scènes du cycle d'Assise.

L'expressivité profonde et intense des personnages contraste avec l'accueil plein de liesse réservée par le chien.

Der aus dem Tempel verwiesene Joachim zieht sich zur Buße unter die eigenen Hirten zurück. Es handelt sich um eine der berühmtesten Szenen des Zyklus: vor einem felsigen Hintergrund, der an die Felslandschaften des Assisi-Zyklus erinnert, jedoch weichern den Linien ist, findet das Zusammentreffen zwischen dem beschämten Joachim und den Hirten statt, die ihn voller Respekt und verständnisvoll empfangen.
Der tiefen Bewegtheit der drei Figuren wird die freudige Ausgelassenheit des Hundes gegenübergestellt.

Mentre sta pregando all'interno della sua casa, Anna riceve da un angelo l'annuncio della sua prossima maternità.
Assiste alla scena, sulla sinistra dell'affresco, collocata in un vano attiguo, un'ancella di Anna.

Questa presenza è resa in maniera stupendamente realistica soprattutto nel particolare del panneggio della veste, le cui pieghe sono tese dalla posizione del ginocchio sinistro. Si noti il carattere classico dell'architettura e la precisione prospettica che informa l'intera composizione.

Un'analoga attenzione è dedicata all'interno della casa di S. Anna, di cui sono resi realisticamente i particolari dell'arredamento.

While she is praying inside her house, Anne hears of her forthcoming motherhood from an angel.

One of Anne's maidservants watches the scene from an adjoining room on the left in the fresco; her presence has been given a magnificently realistic rendering, especially as regards the details of the drapes of her dress whose folds are pulled by the position of her left knee.

The classical style of the architecture and the perspective accuracy which imbues the whole composition, can be noted.

Similar attention is given to the interior of St. Anne's house where furnishing details have been realistically painted.

Un ange annonce sa maternité prochaine à Anne recueillie en prière à l'intérieur de sa maison. Sur la gauche de la fresque, une servante assiste à la scène d'un pièce voisine.

Sa présence est indiquée avec un remarquable réalisme, notamment dans le drapé du vêtement, dont les plis se tendent sous la pression du genou gauche.

Remarquons l'architecture classique et la perspective précise qui sous-tendent toute le composition.

De même, la maison de sainte Anne et tous les détails de l'ameublement sont dépeints avec un réalisme d'une surprenante minutie.

Während sie in ihrem Hause in ein Gebet versunken ist, wird Anna von einem Engel ihre bevorstehende Mutterschaft verkündet. Der Szene wohnt, auf der linken Seite des Bildes, eine Magd Annas bei, die sich in einem Nebenraum befindet.
Ihre Gestalt wird bewundernswert realistisch dargestellt, vor allem was den Faltenwurf ihres Gewandes betrifft, der durch die Position ihres linken Knies seine Bewegung erhält.
Man beachte den klassischen Charakter der Architektur und die perspektivische Genauigkeit, die die gesamte Komposition kennzeichnet.
Ähnliche Sorgfalt ist dem Inneren des Hauses der hl. Anna gewidmet, dessen einzelne Einrichtungsgegenstände wirklichkeitsgetreu wiedergegeben sind.

3

L'ANNUNCIO A S. ANNA
THE ANNUNCIATION TO ST. ANNE
L'ANNONCE FAITE À SAINTE ANNE
DIE VERKÜNDIGUNG AN ANNA

All'oscuro dell'annuncio fatto ad Anna, Gioacchino sacrifica all'Altissimo un agnello mentre, sulla sinistra, un pastore prega e, in primo piano, il gregge pascola.

Il sacrificio è accolto: la benevolenza divina si manifesta nell'apparizione della mano dell'Eterno, in alto, e dell'arcangelo Gabriele a destra.

Lo schema compositivo, giocato sulla contrapposizione di elementi verticali e diagonali sia nelle figure che nella conformazione del paesaggio retrostante, ricorda quello del «Miracolo della fonte» degli affreschi di Assisi.

Appena sopra la vittima sacrificata si nota, molto sbiadita, una piccola figura orante.

Unaware of the announcement made to Anne, Joachim sacrifices a lamb to the Almighty while, on the left, a shepherd prays and, in the foreground, the flock grazes.

The sacrifice is accepted: divine benevolence shows itself in the apparition of the Everlasting's hand at the top and of the Archangel Gabriel on the right.

The plan of composition, based on the contrast of vertical and diagonal elements both in the figures and in the conformation of the landscape behind, recalls that of the "Miracle of the Spring" in the Assisi frescoes.

A very faded, small praying figure can be seen just above the sacrificial victim.

Ignorant la nouvelle qui vient d'être annoncée à Anne, Joachim sacrifie un agneau pendant que, sur la gauche, un pasteur se recueille en prière. Au premier plan, un troupeau.

Dieu accepte le sacrifice et la présence divine se manifeste par la main du Très Haut qui apparaît en haut du tableau et par celle de l'archange Gabriel sur la droite.

La composition de la scène, basée sur le jeu des éléments verticaux et des diagonales autour desquels s'articulent les figures ainsi que les lignes du paysage à l'arrière, rappelle celle du Miracle de la source dans les fresques d'Assise.

On aperçoit, pratiquement effacée au-dessus de l'agneau sacrifié, une petite figure plongée dans la prière.

In Unkenntnis der Anna gemachten Verkündigung opfert Joachim dem Allmächtigen ein Lamm, während links ein Hirte betet und im Vordergrund die Herde weidet.

Das Opfer wird erhört: Gottes Wohlwollen wird durch die Erscheinung der göttlichen Hand im oberen Teil und des Erzengels Gabriel rechts ausgedrückt. Die Komposition des Bildes ist ganz auf die Gegenbewegung vertikaler und diagonaler Elemente sowohl in der Anlage der Figuren als auch in der der dahinterliegenden Landschaft aufgebaut und erinnert an das "Wunder der Quelle" der Fresken von Assisi.

Gleich über dem Opfertier ist die verblichene Gestalt eines Betenden zu erkennen.

4

Lo scomparto illustra il momento del sogno di Gioacchino, durante il quale gli appare un angelo che gli annuncia il concepimento di Maria da parte di Anna.

I pastori assistono meravigliati alla scena. L'angelo, colto quasi «in istantanea» e con gran senso di dinamismo, tiene in mano uno scettro sormontato da un trifoglio, simbolo della Trinità.

L'affresco rende mirabilmente l'abbandono di Gioacchino dormiente e, al tempo stesso, gli effetti del sogno sul suo volto.

La massiccia figura del santo sulla destra è equilibrata, sulla parte opposta, dalle slanciate figure dei pastori.

This section illustrates Joachim's dream during which an angel appears before him announcing that Anne has conceived Mary. The shepherds watch the scene in wonder.

The angel, captured almost "as in a snapshot" and with a great sense of vitality, holds in her hand a sceptre surmounted by a trifolium, the symbol of the Trinity.

The fresco perfectly shows the relaxation of the sleeping Joachim and, at the same time, the effect of the dream on his face.

The massive figure of the saint on the right is balanced, on the other side, by the slender figures of the shepherds.

Joachim voit en rêve un ange lui annonçant qu'Anne a conçu Marie.

Emerveillés les bergers assistent à la scène.

Une sorte d'''instantané'' nous montre l'ange surpris dans une attitude pleine de dynamisme, tenant à la main un sceptre surmonté d'un trèfle, symbole de la Trinité.

La fresque rend admirablement l'abandon du corps de Joachim livré au sommeil en même temps que les signes du rêve sur ses traits.

Le corps massif du saint, sur la droite, est rééquilibré de l'autre côté par les silhouettes élancées des bergers.

Darstellung des Traums des Joachim, während dessen ein Engel erscheint und ihm Annas Empfängnis mit Maria verkündet.

Die Hirten wohnen der Szene mit großem Erstaunen bei.

Der wie in einer Momentaufnahme festgehaltene Engel hält ein von einem Dreiblatt gekröntes Szepter in der Hand, wodurch die Dreieinigkeit versinnbildlicht wird. Das Bild gibt auf wunderbare Weise den dem Schlaf hingegebenen Joachim wieder und gleichzeitig die Wirkung des Traumes auf seinem Gesicht. Die mächtige Figur des Heiligen rechts wird auf der gegenüberliegenden Seite durch die schlanken Hirtenfiguren ausgeglichen.

5

SOGNO DI GIOACCHINO
JOACHIM'S DREAM
LE RÊVE DE JOACHIM
DER TRAUM DES JOACHIM

Come gli era stato predetto dall'angelo apparsogli in sogno, Gioacchino incontra Anna alla Porta Aurea di Gerusalemme. All'incontro assistono alcune donne, sulla destra, e un pastorello, a sinistra, giunto a seguito di Gioacchino.

L'affresco raffigura il momento dell'abbraccio tra i due sposi, che formano una piramide plastica di grande forza espressiva.

La festosità della scena è sottolineata dalla particolare vivacità cromatica della composizione. Alcuni studiosi hanno voluto vedere, nella architettura della Porta Aurea, precisi riferimenti ai monumenti romani di Rimini, dove Giotto avrebbe soggiornato prima di recarsi a Padova. Nel gruppo delle donne del seguito fa spicco la figura misteriosa di una donna velata di nero.

Joachim meets Anne at Jerusalem's Golden Gate as the angel who appeared to him in a dream, had prophesied.

The meeting is watched by some women on the right, and, on the left, by a shepherd boy who had followed Joachim.

The fresco depicts the embrace between husband and wife who form a plastic pyramid of great expressiveness.

The joyfulness of the scene is underlined by the particularly bright colours of the composition.

Some scholars have thought to see, in the architecture of the Golden Gate, precise references to Roman monuments in Rimini where Giotto is supposed to have stayed before going to Padua. The mysterious figure of a woman veiled in black stands out in the group of accompanying women.

Ainsi que le lui avait prédit l'ange du rêve, Joachim rencontre Anne à la Porte d'Or de Jérusalem.

Sur la droite, quelques femmes assistent à la scène, à gauche un jeune berger accompagne Joachim.

La scène représente l'étreinte du couple qui forme une pyramide plastique d'une grande force expressive.

Le caractère joyeux de la rencontre est encore souligné par une vivacité toute particulière des couleurs.

Certains spécialistes décèlent dans l'architecture de la Porte d'Or des références précises renvoyant aux monuments romains de Rimini où Giotto aurait séjourné avant de se rendre à Padoue. Une mystérieuse figure féminine voilée de noir se détache du groupe des femmes.

Wie es ihm von dem im Traum erschienenen Engel vorausgesagt worden war, trifft Joachim an der Goldenen Pforte von Jerusalem auf Anna.

Dem Treffen wohnen einige Frauen und links ein Hirtenknabe aus dem Gefolge Joachims bei. Das Bild gibt die Umarmung des Ehepaars wieder, deren Figuren eine Pyramide von großer Ausdruckskraft bilden. Die Festlichkeit der Szene wird durch die farbige Lebendigkeit der Komposition noch unterstrichen. Einige Wissenschaftler glauben in der Architektur der Goldenen Pforte deutliche Anklänge an die römischen Bauwerke in Rimini zu erkennen, wo Giotto angeblich vor seinem Aufenthalt in Padua verweilte.

In der Gruppe der Frauen fällt die geheimnisvolle Erscheinung einer schwarz verhüllten Frau auf.

6

L'INCONTRO ALLA PORTA AUREA
THE MEETING AT THE GOLDEN GATE
LA RENCONTRE À LA PORTE D'OR
BEGEGNUNG AN DER GOLDENEN PFORTE

Il ciclo degli affreschi continua con le storie della vita della Madonna, a partire dalla fascia più alta della decorazione, dalla parte dell'ingresso.

L'episodio della natività di Maria è rappresentato all'interno della stessa architettura già illustrata nella scena con l'annunzio a S. Anna (n. 4). La composizione, alla quale si ispireranno molti pittori dei secoli successivi, mostra contemporaneamente due fasi successive dello stesso avvenimento (la presentazione di Maria ad Anna e la sua nutrizione) secondo uno schema narrativo tipicamente medievale. L'affresco si presenta piuttosto rovinato, soprattutto nella parte alta a sinistra.

The fresco cycle continues with the stories from the life of the Madonna, starting in the highest decorative band on the side of the entrance.

The Birth of the Virgin Mary is portrayed in the same architectural setting already used for the announcement to St. Anne (no. 4). This composition, which was to inspire many painters over the following centuries, shows two successive stages of this event at the same time (Mary presented to Anne and her feeding), according to a typically medieval narrative form. The fresco is somewhat damaged, especially in the top left.

Le cycle des fresques se poursuit avec les épisodes de la vie de la Vierge, à partir de la bande supérieure de la décoration, du côté de l'entrée. La nativité de Marie est représentée à l'intérieur de la construction déjà décrite dans la scène de l'Annonce faite à sainte Anne (n. 4). La composition, dont s'inspireront plusieurs peintres au cours des siècles suivants, présente simultanément deux phases successives du même épisode (la présentation de Marie à Anne et Anne nourrissant sa fille) suivant un plan narratif typiquement médiéval. La fresque est plutôt détériorée, notamment dans la partie supérieure gauche.

7

Der Freskenzyklus wird mit Szenen aus dem Leben Mariens fortgesetzt, beginnend mit dem obersten Band an der Eingangswand. Die Geburt Mariens wird innerhalb der gleichen Räumlichkeiten dargestellt, wie sie schon in der Verkündigungsszene mit der hl. Anna abgebildet wurden (Nr. 4). Der Aufbau des Bildes, der von vielen Malern späterer Jahrhunderte aufgegriffen werden wird, umfaßt gleichzeitig zwei aufeinanderfolgende Phasen desselben Ereignisses (Maria wird Anna gezeigt und gestillt) und folgt einem typisch mittelalterlichen Darstellungsschema.
Das Fresko weist v.a. im oberen Teil und links schwere Beschädigungen auf.

NATIVITÀ DI MARIA
THE BIRTH OF THE VIRGIN MARY
LA NATIVITÉ DE MARIE
MARIÄ GEBURT

8

 Secondo l'usanza ebraica Maria, giunta al quinto anno d'età, viene accompagnata al Tempio dai suoi genitori, ed è qui accolta dal sacerdote.
Lo schema compositivo, basato sulla linea diagonale dell'ascesa da parte di Maria della scalinata del Tempio, sarà spesso ripreso nei secoli successivi (ricordiamo ad esempio la Presentazione al Tempio di Tiziano delle Gallerie dell'Accademia di Venezia).
Il tempio è lo stesso raffigurato nell'affresco n. 2 che rappresenta la cacciata di Gioacchino, qui reso con prospettiva opposta.

In accordance with the Jewish custom, at the age of five Mary is accompanied to the Temple by her parents, where she is received by the priest.
The plan of composition, based on the diagonal line marked out by Mary's climbing the Temple steps, was to be often repeated over the following centuries (for example, let us remember Titian's "Presentation in the Temple" in the Accademia Galleries in Venice).

The Temple is the same one depicted in fresco no. 2 (Joachim rejected from the Temple) but seen from the opposite perspective angle.

Suivant la coutume hébraïque, à cinq ans Marie est conduite au temple par ses parents et reçue par le prêtre.

Le plan de la scène, qui s'organise en fonction de la diagonale esquissée par Marie gravissant les marches du temple, sera souvent repris durant les siècles suivants (nous pensons entre autres à La Présentation au temple du Titien, dans les salles de l'Académie à Venise).

Le temple est celui de la fresque n. 2 (Joachim chassé du temple), traité ici selon une perspective inversée.

Gemäß einem jüdischen Brauch wird Maria in ihrem fünften Lebensjahr von ihren Eltern in den Tempel geführt und dort von dem Priester empfangen.
Der Aufbau des Bildes lebt von der diagonalen Linie der Aufwärtsbewegung Mariens, die die Tempelstufen emporschreitet.
Diese Komposition wird in späteren Jahrhunderten häufig wieder aufgegriffen - wir verweisen nur auf das Bild Tizians gleichen Themas in der venezianischen

Akademiegalerie.
Der Tempel ist derselbe wie auf dem Fresko Nr. 2 (Vertreibung des Joachim), nur spiegelbildlich wiedergegeben.

Questo e i due episodi successivi illustrano gli avvenimenti legati al matrimonio di Maria con Giuseppe.
Le tre scene sono legate tra loro dalla medesima ambientazione architettonica, presentata frontalmente.
I pretendenti si recano al Tempio e consegnano al sacerdote una verga secca ciascuno: a fiorire sarà solamente la verga dello sposo predestinato a Maria da parte dell'Altissimo.
All'estrema sinistra dell'affresco si nota, già aureolata, la figura del vecchio Giuseppe.
L'affresco appare piuttosto rovinato nella zona sinistra.
In esso, secondo gli studiosi, risulta più estesa la collaborazione da parte degli aiuti di Giotto.

This episode and the following two illustrate the events linked to the marriage of Mary and Joseph.

The three scenes are united by the same architectural setting, seen from the front.
The suitors go to the Temple and each one hands over a wand to the priest: the only one to flower will belong to the man whom the Almighty has predestined to be Mary's husband.

The figure of the elderly Joseph, already surrounded with a halo, can be seen on the far left of the fresco.
The fresco appears quite damaged on the left; the opinion of the scholars is that here the collaboration by Giotto's helpers is more extensive.

Avec les deux épisodes qui suivent, cette scène illustre les scènes ayant trait au mariage de Marie et de Joseph. Toutes trois ont en commun la composition architecturale, vue de face.
Les prétendants se rendent au temple et chacun d'eux donne au prêtre un rameau sec.

Seul fleurira celui de l'époux que le Très Haut destine à Marie.
Remarquons, à l'extrême gauche de la fresque, la figure de Joseph, devenu vieux et déjà ceint d'une auréole.

La partie gauche de cette fresque n'est pas en très bon état. Les spécialistes estiment que les collaborateurs de Giotto jouèrent ici un rôle plus important qu'ailleurs.

Diese und die zwei folgenden Szenen stellen Ereignisse im Zusammenhang mit der Vermählung Mariens mit Joseph dar.
Die drei Episoden sind durch denselben architektonischen Rahmen miteinander verbunden.
Die Brautleute begeben sich in den Tempel und überreichen ein jeder dem Priester einen trockenen Stab.
Blühen wird nur der des Bräutigams, der von seiten des Allmächtigen Maria vorbestimmt ist.
Ganz links im Bild kann man die Gestalt des greisen Joseph mit dem Heiligenschein erkennen. Das Fresko ist im linken Teil sehr beschädigt.
Nach einigen Wissenschaftlern ist hier der Anteil von Schülern Giottos größer.

9

LA CONSEGNA DELLE VERGHE
PRESENTING THE WANDS
LA PRÉSENTATION DES RAMEAUX
DIE ÜBERREICHUNG DER STÄBE

Lo scomparto raffigura la preghiera da parte dei pretendenti affinché si verifichi la fioritura delle verghe, poste precedentemente sull'altare del Tempio.
L'intera composizione è dominata da un senso di alta tensione per l'attesa, da parte degli oranti, della fioritura. Anche in questo affresco la figura di Giuseppe è rappresentata, sulla sinistra, con il capo avvolto dall'aureola, segno della predestinazione divina.

This section depicts the suitors as they pray for the flowering of the wands which have previously been placed on the Temple altar.
The whole composition is dominated by a sense of high tension as those praying await the flowering.

In this fresco as well the figure of Joseph is portrayed on the left with his head surrounded with a halo, a sign of the destiny marked out for him by God.

Les prétendants prient afin que fleurissent les rameaux déposés auparavant sur l'autel du temple.

Toute la scène trahit la violente tension des suppliants dans l'attente du signe de Dieu. Ici encore Joseph est sur la gauche, la tête ceinte de l'auréole en signe de prédestination divine.

Darstellung des Gebets der Brautleute um die Blüte der Stäbe, die auf dem Altar des Tempels dargeboten wurden. Die gesamte Gestaltung wird von der Spannung gekennzeichnet, mit der die Betenden die Blüte erwarten.

Auch hier wird die Gestalt Josephs links mit einem Heiligenschein über dem Haupt dargestellt, als Zeichen der göttlichen Ausersehung.

10

LA PREGHIERA PER LA FIORITURA DELLE VERGHE
PRAYING FOR THE FLOWERING OF THE WANDS
LA PRIÈRE POUR LA FLORAISON DES RAMEAUX
GEBET DER FREIER

11

Il riquadro conclude il «trittico» dedicato allo sposalizio di Maria con la raffigurazione delle nozze della giovane con Giuseppe.
Lo sposo tiene in mano la verga fiorita, sulla quale è venuta a posarsi una colomba, segno della benedizione del matrimonio da parte di Dio.
Lo sposalizio si svolge alla presenza degli altri contendenti: uno di essi, immediatamente a sinistra di Giuseppe, è Abiathar, figlio del sacerdote, e leva minacciosamente la mano destra verso lo sposo.
L'esteso intervento dei collaboratori, evidenziato dagli studiosi in questo affresco, dà ragione della tenue forza espressiva delle figure, meno efficace che in altri riquadri.

This painting concludes the "triptych" dedicated to Mary's wedding by depicting her marriage to Joseph.
In his hand the groom holds the flowering wand on which a dove has come to rest, a sign of God's blessing to the marriage.
The wedding takes place in the presence of the other suitors: one of them, immediately to Joseph's left, is Abiathar, the priest's son, and he threateningly raises his right hand towards the groom.

The widespread contribution by collaborators in this fresco, as shown by the scholars, explains the tenuous expressiveness of the figures, less effective here than in other paintings.

Cette composition conclut le triptyque dédié au mariage de la Vierge, avec la représentation des noces de Marie et Joseph. L'époux tient à la main le rameau fleuri sur lequel s'est posée une colombe en signe de bénédiction divine de ces noces.

La cérémonie se déroule en présence des autres prétendants: l'un d'eux, à la gauche de Joseph, est Ebyatar le fils du prêtre, qui menace l'époux de la main droite.

Les aides qui travaillaient avec Giotto ont largement pris part à la réalisation de cette fresque, comme l'ont prouvé les spécialiste, ce qui explique la moindre intensité expressive des figures par rapport aux autres fresques.

Der Abschnitt schließt das der Brautzeit Mariens gewidmete "Tryptichon" mit der Darstellung der Hochzeit ab.

Der Bräutigam hält den blühenden Zweig in der Hand, auf dem sich eine Taube niedergelassen hat, Zeichen der göttlichen Segnung der Vermählung.

Die Hochzeit findet in Gegenwart der anderen Anwärter statt: einer von ihnen, gleich links von Joseph, ist Abiathar, der Sohn des Priesters, der drohend die rechte Hand gegen den Bräutigam erhebt.

12

L'episodio, che chiude il ciclo delle storie di Maria, è stato variamente interpretato. L'opinione critica prevalente è che si tratti del corteo nuziale di Giuseppe e Maria che si recano nella loro casa dopo la celebrazione del matrimonio.

Il momento di festa è sottolineato dalla presenza dei suonatori e dal ramo esposto nell'edificio gotico retrostante, nel quale si aprono due belle bifore trilobate.

L'esame dell'affresco rivela numerosi "pentimenti" da parte di Giotto, il quale intervenne successivamente con aggiunte a tempera: gli interventi sono evidenti soprattutto nella veste del personaggio subito a destra di Maria. Sono proprio queste zone decorate a tempera quelle maggiormente deteriorate.

This episode which concludes the cycle of stories of the Virgin Mary, has been given various interpretations.
The prevailing opinion of the critics is that it shows the marriage procession as Mary and Joseph make their way to their house after their marriage has been celebrated. This joyful moment is underlined by the presence of musicians and of the branch displayed from the Gothic building behind, which has two beautiful trefoil two-mullioned windows.
A study of the fresco reveals numerous "changes of mind" made by Giotto who later made tempera additions: the latter are especially clear in the dress of the figure immediately to Mary's right. These parts decorated in tempera are precisely those which have undergone the most deterioration.

Cette épisode, qui conclut le cycle des récits de la vie de Marie, a donné lieu à plusieurs interprétations.

Selon la plus courante, il s'agirait du cortège nuptial de Joseph et Marie regagnant leur maison après la cérémonie.

L'atmosphère de fête est soulignée par la présence des musiciens et par le rameau exposé dans l'édifice gothique sur l'arrière qui offre deux belles ouvertures géminées et trilobées.

A l'examen, cette fresque révèle plusieurs "repentirs" du peintre qui intervint à différentes reprises avec des ajouts à la détrempe, particulièrement évidents dans le vêtement du personnage placé à droite de Marie. Il s'agit justement des parties les plus abimées de cette fresque.

Diese Szene, die den Marienzyklus abschließt, ist vielfach interpretiert worden. Nach vorherrschender Meinung handelt es sich um den Hochzeitszug von Joseph und Maria, die sich nach vollzogener Vermählung in ihr Haus begeben. Der feierliche Augenblick wird durch die Gegenwart von Bläsern und durch den Stab unterstrichen, der in einem gotischen Gebäude im Hintergrund ausgestellt ist, das über zwei schöne Biforen mit Dreipässen verfügt.
Eine genaue Analyse des Freskos gibt zahlreiche nachträgliche Verbesserungen Giottos preis, die in Temperamalerei durchgeführt sind.
Die späteren Eingriffe sind vor allem am Gewand der Figur zur Rechten Mariens erkennbar. Gerade diese in Tempera gemalten Abschnitte sind besonders beschädigt.

Collocato sulla lunetta dell'arco trionfale mostra il momento nel quale il Padreterno affida all'arcangelo Gabriele la missione di annunciare alla Vergine il concepimento di Cristo.
La figura dell'Eterno è dipinta su tavola ed inserita nella parete che per il resto è decorata a fresco.
Ai lati del trono dell'Altissimo sono collocate due schiere angeliche.
L'affresco è molto rovinato nella zona sinistra e alcune figure di angeli sono quasi completamente perdute.
Le due figurazioni con l'angelo annunciante e con l'annunciata sono situate rispettivamente a sinistra e a destra dell'arco del presbiterio, immediatamente sotto all'affresco che rappresenta la missione affidata da Dio all'arcangelo Gabriele (n. 1).
Le due figure si trovano all'interno di due edicole uguali, dipinte in prospettiva convergente verso il centro, che ricordano analoghe architetture dipinte ad Assisi.
La collocazione di particolare evidenza è dovuta al fatto che la Cappella era anticamente dedicata all'Annunciata, come risulta da numerose testimonianze documentarie.
Gli studiosi hanno rilevato la potente monumentalità con la quale è qui resa la figura della Madonna, che non è più la giovinetta timorosa degli episodi precedenti, bensì una "dramatis persona" di forte gravità morale, come d'altra parte apparirà successivamente negli episodi della vita di Cristo.

This painting occupies the lunette of the triumphal arch and illustrates the moment when the Eternal Father entrusts the Archangel Gabriel with the missions of telling the Virgin Mary of Christ's conception.
The figure of the Everlasting is painted on a panel and inserted into the wall the rest of which is frescoed.
Two hosts of angels stand at the sides of the Almighty's throne.
The left of the fresco is greatly damaged and some angel figures have been almost completely lost.
The two figures of the Herald Angel and of the Virgin Mary are found to the left and right respectively of the presbytery arch, immediately beneath the fresco depicting God entrusting the mission to the Archangel Gabriel (no. 1).

The two figures stand within two identical chapels, painted in a perspective which converges towards the centre and which recalls similar architecture painted in Assisi.

Its important position derives from the fact that the Chapel was formerly dedicated to Our Lady of the Annunciation, a fact supported by countless documentary evidence.

The scholars have pointed out the powerful majesty with which the figure of the Madonna is portrayed here: she is no longer the timid girl of the previous episodes, but rather a "dramatis persona" of strong moral seriousness, in fact just as she will appear later in the episodes from the life of Christ.

13

PADRETERNO SUL TRONO
THE ETERNAL FATHER ENTHRONED
LE PÈRE ETERNEL TRÔNANT ENTRE LES ANGES
GOTTVATER AUF DEM THRON

Danś la lunette de l'arc de triomphe, cette scène représente l'Eternel chargeant l'archange Gabriel d'annoncer à Marie qu'elle porte le Christ dans son sein.

La figure divine, peinte sur bois, est incorporée dans la paroi dont les autres parties sont décorées de fresques.

Le trône de Dieu est entouré de part et d'autre de deux rangées d'anges.

La partie gauche de la fresque est en mauvais état et certaines figures d'anges sont presque entièrement perdues.

Les deux figures, celle de l'ange faisant office de messager et celle de Marie, destinataire du message, sont situées respectivement à gauche et à droite de l'arc du presbytère, au-dessous de la fresque qui représente la

mission dont Dieu a chargé l'archange Gabriel (n. 1).

Elles s'inscrivent dans deux niches identiques placées dans une perspective convergeant vers le centre, qui rappellent des compositions analogues peintes à Assise.

L'emplacement de cette fresque, bien en vue, s'explique par le fait que la chapelle était autrefois consacrée à la Vierge de l'Annonciation, comme l'attestent de nombreux documents.

La critique a souligné la puissance en quelque sorte monumentale qui émane de la figure de la Vierge: ce n'est plus la jeune fille craintive des épisodes précédents, mais une "dramatis persona" qu'habite une forte tension morale, telle que nous la retrouverons dans les épisodes successifs de la vie du Christ.

Auf der Lünette des Triumphbogens befindlich, stellt es den Gottvater dar, als er dem Erzengel Gabriel den Auftrag anvertraut, der Jungfrau Maria die Empfängnis Christi zu verkünden.

Die Figur des Allmächtigen ist auf eine Holztafel gemalt und in die Wand eingefügt, der Rest besteht aus Fererskenmalerei.

Zu beiden Seiten des Throns Gottes befinden sich Engelsscharen.

Die Fresken sind im linken Teil sehr beschädigt und einige Engelsgestalten sind fast ganz zerstört.

Die beiden Figuren des verkündigenden Engels und Marias sind jeweils rechts und links des Triumphbogens angeordnet, unmittelbar unter dem Fresko, das den Auftrag Gottes an den Erzengel Gabriel wiedergibt (Nr. 1).

Sie befinden sich im Inneren zweier Ädikulas, die identisch sind und sich perspektivisch gegen die Mitte zuneigen und an ähnlich gemalte Bauten in Assisi erinnern.

Die herausgehobene räumliche Situierung ist der Tatsache zuzuschreiben, daß die Kapelle ursprünglich Mariä Verkündigung geweiht werden sollte, was aus zahlreichen geschichtlichen Quellen hervorgeht.

Von den Kunsthistorikern wurde die auffallende Monumentalität der Madonnengestalt hervorgehoben, die nicht mehr als die schüchterne Jungfrau wie in den vorausgehenden Episoden dargestellt wird, sondern als eine "dramatis persona" mit ausgeprägtem moralischen Gewicht, wie sie später in den Szenen aus dem Leben Christi erscheinen wird.

14

Il racconto evangelico continua nella fascia inferiore sotto l'affresco della Vergine annunziata sul lato destro dell'arco trionfale con la Visitazione di Elisabetta da parte di Maria.

La figura a destra appare molto rovinata dall'umidità. Questo riquadro mette bene in evidenza un procedimento tecnico riscontrabile In altri affreschi del ciclo: la padronanza da parte di Giotto delle regole della prospettiva appare evidente nella resa delle aureole, che vengono ovalizzate quando le figure vengono presentate di profilo.

The Visitation (the meeting of Mary and Elizabeth) continues the gospel story in the lower part underneath the Virgin Mary of the Annunciation on the right hand side of the triumphal arch. The figure on the right appears very damaged by the damp.

This section clearly shows a technique which can be found in other frescoes of this cycle: Giotto's mastery of the rules of perspective is clear in his rendering of the halos which become oval when the figures are seen in profile.

Le récit évangélique se poursuit dans la bande inférieure sous la fresque de la Vierge de l'Annonciation, sur le côté droit de l'arc de triomphe, avec la visite que Marie rend à Elisabeth.

La figure sur la droite est fortement endommagée par l'humidité.

Ce panneau permet de saisir la technique de Giotto, que l'on retrouve dans d'autres fresques de ce cycle: le peintre maîtrise d'ores et déjà fort bien certaines règles de perspective, notamment dans la façon de traiter les auréoles qui sont ovales lorsque les personnages se présentent de profil.

Die Evangeliengeschichte findet im unteren Band unterhalb der Verkündigung Mariens auf der rechten Seite des Triumphbogens mit dem Besuch Mariens bei Elisabeth ihre Fortsetzung.

Die rechte Figur scheint sehr von der Feuchtigkeit angegriffen. Auf dieser Abbildung tritti eine auch auf anderen Fresken des Zyklus erkennbare Technik besonders deutlich in Erscheinung: die Beherrschung der Perspektivegesetze von seiten Giottos. Die Heiligenscheine werden hier oval wiedergegeben, wenn die Figuren im Profil dargestellt sind.

15

LA VISITAZIONE
THE VISITATION
LA VISITATION
HEIMSUCHUNG MARIÄ

Con lo scomparto raffigurante la nascita di Gesù prende inizio la serie delle storie di Cristo, nella zona mediana della decorazione a partire dalla parete di fondo.

L'affresco della Natività si presenta alquanto consunto, soprattutto nella zona del manto della Madonna, il cui colore lapislazzuli fu con tutta probabilità steso a secco, in un secondo tempo.

Tutti questi primi riquadri dedicati alla nascita e alla giovinezza di Gesù sono dominati da un senso di malinconia intima e profonda, evidente soprattutto nella figura di Maria. La festosità degli angeli nel cielo si contrappone al lamento straziante delle creature celesti nel riquadro della crocifissione collocato nella parete di fronte.

This section depicting Jesus's birth begins the cycle of stories of Christ in the middle decorative area, starting from the far wall.

This fresco appears somewhat worn, especially the part of the Madonna's mantle whose lapis lazuli colour was probably applied using the secco technique at a later stage.

All these initial paintings dedicated to the birth and youth of Christ are dominated by a sense of intimate and deep melancholy which is especially noticeable in the figure of Mary. The joyfulness of the angels in the sky contrasts with the agonizing walling of the heavenly creatures in the painting of the Crucifixion on the opposite wall.

La série des récits de la vie du Christ commence avec le panneau de la nativité situé dans la zone intermédiaire, à partir du mur du fond.
La fresque de la Nativité est en très mauvais état, notamment à l'endroit du vêtement de Marie, dont la couleur, le lapis-lazuli, fut fort vraisemblablement étendue à sec, dans une seconde phase de l'exécution.
Tous les premiers panneaux consacrés à la naissance et à la jeunesse de Jésus sont empreints d'un sentiment de mélancolie profonde que l'on perçoit bien dans la figure de Marie.
La joie des anges dans les cieux s'oppose à la plainte déchirante des créatures célestes dans le panneau représentant la scène de la crucifixion, sur le mur du fond.

Beginnend im mittleren Feld der Rückwand setzt mit der Geburt Christi der Zyklus der Szenen aus dem Leben Jesu ein.

Das Geburtsfresko ist schwer beschädigt, vor allem was den Umhang der Madonna betrifft, dessen Lapislazulifarbe mit großer Wahrscheinlichkeit erst nachträglich trocken aufgetragen wurde.

Die ganzen ersten Darstellungen der Geburt und Jugend Jesu sind in eine tiefe und innige Stimmung von Melancholie gehüllt, die besonders in der Gestalt Mariens zum Ausdruck kommt.
Die Freude der Engel im Himmel kontrastiert mit dem Wehklagen derselben, das an der gegenüberliegenden Wand in der Kreuzigungsszene dargestellt wird.

16

17

L'affresco illustra la visita che i magi d'Oriente portarono al neonato Gesù seguendo la stella cometa.

Sono rappresentatl in questa scena gli elementi iconografici tipici della tradizione medievale ai quali si aggiungono, come curiosa novità, le due figure di cammelli sulla sinistra.

This illustrates the visit that the Kings from the East made to the newly-born Jesus after following the star.

The scene contains the typical iconographical elements of the medieval tradition with the curious novel addition of the two camels on the left.

Cette fresque illustre la visite que les Mages venus d'Orient rendent à l'enfant nouveau-né en suivant le parcours de la comète.

On trouve ici les éléments iconographiques typiques de la tradition médiévale, auxquels vient s'ajouter, sur la gauche, la présence curieuse et inusitée de deux chameaux.

Das Bild stellt den Besuch der Könige aus dem Morgenland dar, die der Komet zum neugeborenen Christus führte.

Hier werden die für die mittelalterliche Tradition typischen bildhaften Elemente wiedergegeben, wobei sich als kuriose Neuigkeit links zwei Kamelfiguren hinzugesellen.

PRESENTAZIONE DI GESÙ AL TEMPIO
THE PRESENTATION OF JESUS IN THE TEMPLE
LA PRÉSENTATION DE JÉSUS AU TEMPLE
DARBRINGUNG IM TEMPEL

18

L'edicola rappresentante il Tempio è collocata al centro della composizione in cui campeggia la figura del Sacerdote Simeone.
Essa è la sola che la critica ritenga autografa di Giotto assieme a quella di Anna, figlia di Fanuel, sulla destra, che tiene in mano il cartiglio con la famosa profezia (Lc. II, 36-38).

The shrine representing the Temple stands in the centre of the composition in which the figure of the Priest Simeon stands out.
This is the only figure that the critics consider to have been painted by Giotto himself, together with that of Anne, the daughter of Fanuel, who holds the scroll with the famous prophecy (Luke II, 36-38) in her hand.

L'édicule faisant office de temple occupe le centre de la composition avec la figure du prêtre Simeon: c'est le seul personnage — avec Anne, fille de Phanouel, que l'on voit sur la droite tenant à la main un cartouche sur lequel est inscrite la célèbre prophétie (Luc, II, 36-38) — dont les critiques estiment qu'ils sont autographes.

Die den Tempel darstellende Ädikula befindet sich im Zentrum des Bildes, dessen Aufbau von der Figur des Priesters Simeon beherrscht wird, der einzigen Figur, die neben der Annas, der Tochter des Fanuel, rechts, Giotto selbst zugeschrieben wird.

Sie hält die Schriftrolle mit der berühmten Prophezeiung in der Hand (Lc. II, 36-38).

19

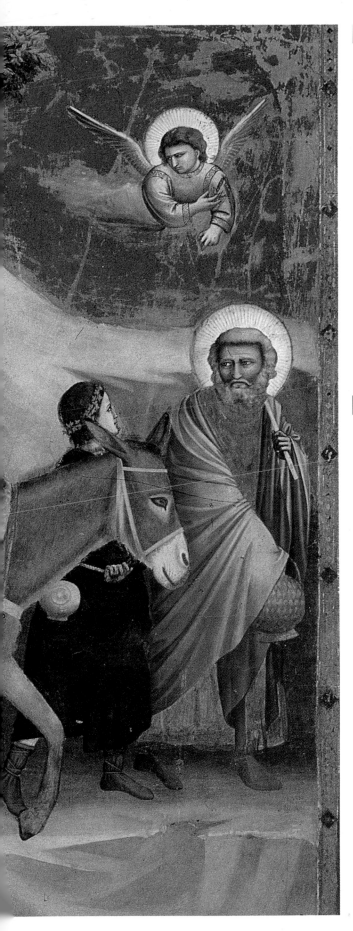

Si tratta di uno degli affreschi più conosciuti del ciclo della Cappella degli Scrovegni. Isolate al centro sono le figure della Madonna e di Cristo a dorso dell'asino: lo schema piramidale del gruppo è sottolineato dalla conformazione delle rocce alle spalle dei protagonisti. Si noti la particolare cura impiegata nel rendere il panneggio del manto della Madonna (il cui originale colore lapislazzuli è andato quasi completamente perduto), e, ancor di più, la abilità di Giotto nel rendere le figure di profilo. I profili degli affreschi padovani sono molto più convincenti e tecnicamente riusciti di quelli di Assisi e dimostrano una sensibile maturazione tecnica da parte del pittore che si allontana cosí sempre più dalla rigidità frontale della tradizione bizantina nella direzione di una rappresentazione più naturale e realistica.

This is one of the best known frescoes in the Scrovegni Chapel cycle. In the centre stand the isolated figures of the Madonna and Christ on the back of the donkey: the group's pyramid shaped composition is emphasized by the conformation of the rocks behind the protagonists. You can see the particular care given to painting the drapes of the Madonna's mantle (whose original lapis lazuli colour has been almost completely lost) and even better Giotto's ability to portray the figures in profile. The profiles in the Paduan frescoes are far more convincing and technically successful than those in Assisi and they show a considerable technical maturity on the part of the painter who was increasingly moving away from the frontal stiffness of the Byzantine tradition towards more natural and realistic portrayals.

C'est l'une des fresques les plus célèbres du cycle de la chapelle des Scrovegni. La Vierge et Jésus, à dos d'âne, occupent seuls le centre de la scène.
La structure pyramidale du groupe est renforcée par la forme des rochers se trouvant derrière les protagonistes. On remarque le soin extrême avec lequel est rendu le drapé du manteau de Marie (dont la teinte originale, lapis-lazuli, est pratiquement éteinte) et, mieux encore, la maîtrise de l'artiste lorsqu'il campe les figures de profil.
Les profils des fresques de Padoue sont beaucoup plus assurés que ceux d'Assise, la tecnique maintenant solidement affirmée témoigne du travail de maturation accompli par Giotto qui s'éloigne progressivement de la tradition byzantine à laquelle il préfère désormais une représentation plus naturelle et réaliste.

Es handelt sich um eine der berühmtesten Fresken der Arenakapelle. In der Mitte ragen die Figuren von Maria und Jesus auf dem Eselsrücken heraus. Der pyramidenförmige Aufbau der Gruppe wird durch die Felsenformation hinter den Gestalten noch betont. Man beachte die besondere Sorgfalt, mit der der Faltenwurf des Mantels Mariens (dessen ursprüngliche Lapislazulifarbe fast ganz verschwunden ist) wiedergegeben ist und vor allem die Geschicklichkeit Giottos in der Darstellung der Gestalten im Profil. Die Profildarstellungen auf den Fresken von Padua sind wesentlich gekonnter und überzeugender als die von Assisi und lassen eine technische Vervollkommnung des Künstlers erkennen, der sich immer mehr von den strengen frontaldarstellungen byzantinischer Tradition entfernt und natürlichere und wirklichkeitsgetreuere Darstellungsmittel sucht.

33

20

La composizione è dominata da un alto senso drammatico, che deriva dalla contrapposizione tra lo strazio e la disperazione del gruppo delle madri sulla destra, e la crudeltà e la ferocia dei soldati. Il primo piano è occupato dalla massa dei piccoli cadaveri dei bimbi uccisi, e dal gesto disperato della madre che tenta di sottrarre il proprio figlioletto alla furia dei carnefici. Nell'affresco sono rappresentate due architetture: a sinistra la loggia dalla quale Erode impartisce i suoi ordini ed assiste al tragico bagno di sangue, a destra una costruzione a pianta centrale di forma ottagonale, ispirata forse alla chiesa di S. Francesco di Bologna della quale è ripresa la forma delle cappelle radiali e i contrafforti.

An intense dramatic force dominates the composition. It derives from the contrast between the agony and despair of the group of mothers on the right, and the cruelty and inhumanity of the soldiers. The foreground is taken up by the mass of small bodies of the slaughtered and by the desperate attempt of one mother to try and rescue her own small son from the violence of the slaughterers.
Two pieces of architecture are depicted in the fresco: on the left the loggia from which Herod gives his orders and watches the tragic blood-bath; on the right an octagonal building with a central layout, perhaps inspired by the Church of St. Francis in Bologna from which the idea of the radiating chapels and the counterforts is taken.

La scène est dominée par une grande force dramatique due à l'opposition entre le désespoir du groupe des mères sur la droite et la férocité des soldats. Au premier plan sont amoncelés les corps des enfants massacrés. Une mère tente désespérément d'arracher son enfant à la furie des bourreaux.
Cette fresque présente deux constructions architecturales: à gauche la loge d'où Hérode donne ses ordres et assiste au tragique bain de sang, à droite une construction octogonale de plan central, qui renvoie peut-être à l'église de Saint-François à Bologne, dont s'inspire la forme des chapelles latérales et des contreforts.
On remarque, ici encore, l'aisance de l'artiste pour rendre l'impression de perspective dans la représentation de l'édifice.

Der Aufbau ist von einer dramatischen Spannung bestimmt, die sich aus dem Gegensatz zwischen der Verzweiflung der Gruppe der Mütter auf der rechten Seite und der Grausamkeit der Soldaten ergibt. Der Vordergrund wird von der Masse der kleinen Kinderleichen und von der vorzweifelten Bewegung der Mutter eingenommen, die ihr Kind dem Wüten der Henkersknechte zu entreißen versucht. Auf dem Fresko sind zwei Bauwerke abgebildet: links die Säulenhalle, von der aus Herodes seine Befehle erteilt und dem schrecklichen Blutbad beiwohnt und rechts ein achteckiger Zentralbau, der vermutlich der Kirche S. Francesco in Bologna nachempfunden ist, von der die Form der sternförmigen Kapellen und der Strebepfeiler übernommen ist.

21

L'affresco che illustra la disputa tra Gesù e i dottori nel Tempio di Gerusalemme è quello che risulta nel peggiore stato di conservazione tra gli affreschi dell'intera cappella.
Si tratta del primo soggetto del ciclo interamente ambientato in un interno. Lo schema compositivo è chiaramente riconducibile ad alcune prove del ciclo assisiate, come la «Conferma della regola» e l'«Apparizione al Capitolo di Arles».
Rispetto a questi soggetti delle storie francescane muta però il tipo di architettura: alle costruzioni di tipo gotico di Assisi si sostituisce qui un'architettura dai lineamenti classici, con piccole cappelle ed archi voltati a tutto sesto.

This fresco illustrating the discussion between Jesus and the Scribes in the Temple in Jerusalem is the one which, out of all the frescoes in the Chapel, is in the worst condition.
This is the first episode in the cycle to be entirely set in an interior.

The plan of composition can be clearly linked to some sketches for the Assisi cycle, such as the ''Confirmation of the Rule'' and ''The Apparition to Gregory IX''.
However, the type of architecture is different with respect to that in the Franciscan stories: the Gothic-like buildings in Assisi have been replaced by a classical style of architecture with small chapels and vaulted round arches.

Cette fresque qui représente la discussion de Jésus avec les docteurs du temple de Jérusalem est la plus détériorée de toute la chapelle.

C'est le premier épisode du cycle se déroulant complètement dans un intérieur.
Le plan de la composition renvoie de toute évidence à certaines tentatives du cycle d'Assise, comme La Confirmation de la Règle et L'apparition à Grégoire IX.

Cependant l'architecture a changé: à la place des constructions gothiques du cycle franciscain d'Assise, on trouve maintenant une architecture de tendance classique, avec de petites chapelles et des arcs en plein cintre.

Das Fresko, das den Wortwechsel zwischen Jesus und den Schriftgelehrten im Tempel von Jerusalem darstellt, ist das am schlechtesten erhaltene der ganzen Kapelle.

Es ist das erste Bild des Zyklus, dessen Vorgänge sich ganz in einem Innenraum abspielen.

Das Kompositionsmodell ist eindeutig an einigen Darstellungen des Assisi-Zyklus orientiert, wie z.B. der ''Bestätigung der Regel'' und der ''Erscheinung des Gregorius IX''. Im Verhältnis zu den Franziskusgeschichten wird jedoch eine andere Architektur wiedergegeben, die gotischen Bauten von Assisi sind hier durch eine klassisch ausgerichtete Architektur ersetzt, mit kleinen Kapellen und Rundbögen.

Con l'affresco che raffigura il battesimo di Cristo sul Giordano ad opera di Giovanni il Battista prende il via la serie dei 15 riquadri che illustrano la vita adulta di Gesù, nei quali la figura di Cristo domina come protagonista. La composizione segue lo schema tipico dell'iconografia medievale: tra i due gruppi di figure ai lati della composizione è collocata, al centro, la figura di Cristo, il cui volto rappresenta uno dei pezzi di bravura di Giotto negli affreschi padovani. Si noti l'irrazionalità nella rappresentazione dell'acqua in cui è immerso il corpo di Cristo (dovuta forse alla necessità di non mostrare Cristo completamente nudo). L'affresco appare molto consunto nella parte mediana superiore, in corrispondenza dell'alone che racchiude l'immagine di Dio.

22

This fresco showing John the Baptist baptizing Christ in the River Jordan, is the first in the series of 15 paintings illustrating Jesus's adult life, in which the figure of Christ is the dominant protagonist. The composition follows the typical layout of medieval iconography: the figure of Christ in the centre stands between two groups of figures at the sides of the composition. His face is one of Giotto's pieces of expertise in the Paduan frescoes. You can note the illogical portrayal of the water in which Christ's body is immersed (perhaps due to the need not to show a completely nude Christ). The fresco appears very worn in the upper middle part where the halo surrounds the image of God.

Cette fresque représentant Jean-Baptiste baptisant le Christ dans les eaux du Jourdain est la première d'une série de quinze panneaux qui illustrent la vie de Jésus adulte, dans lesquels le Christ domine en qualité de protagoniste. La composition respecte le plan typique de l'iconographie médiévale. Au centre, entre les deux groupes de figures, domine le Christ dont le visage représente l'un des morceaux de bravoure de Giotto dans ce cycle padouan. On remarque la façon curieuse, irrationnelle, dont Giotto a représenté l'eau dans laquelle est immergé le corps du Christ, due sans doute à la nécessité d'éviter de montrer le Christ complètement nu.
Le fresque est très endommagée dans la partie intermédiaire supérieure, à la hauteur du halo qui entoure l'image de Dieu.

Mit der Darstellung der Taufe Christi im Jordan durch Johannes den Täufer setzt der 15-teilige Bilderzyklus des erwachsenen Jesus ein, in dem die Christusgestalt zur Hauptperson wird. Die Komposition folgt dem klassischen Schema der mittelalterlichen Ikonographie: zwischen zwei Figurengruppen je zu seiner Seite erhebt sich in der Bildmitte die Gestalt Christi, dessen Gesicht eines der Meisterstücke Giottos innerhalb der Fresken von Padua darstellt. Auffallend ist die irrationale Darstellung des Wassers, in das der Leib Christi getaucht ist (vermutlich durch die Unmöglichkeit bedingt, Christus ganz nackt darzustellen). In der Mitte oben, wo der Lichtschein das Abbild Gottes umschließt, ist das Fresko sehr beschädigt.

L'affresco, che rappresenta il primo miracolo di Gesù, presenta una concezione spaziale più ampia di quella degli affreschi precedenti, e sembra preludere in tal senso al ciclo di opere che saranno dipinte negli anni successivi a S. Croce nelle cappelle Peruzzi e Bardi.

Dopo l'altezza poetica che caratterizzava le scene precedenti, ci troviamo qui di fronte ad un rilassamento della tensione drammatica, ad un tono dimesso e domestico che si esprime nella rappresentazione degli elementi dell'arredo (le anfore, la tenda sulla parete) e nella figura del personaggio che beve, sulla destra, disegnato con una caratterizzazione cosí precisa da far pensare che si tratti di un ritratto.

This fresco which depicts Jesus's first miracle, has a far greater concept of space than the previous ones and in this sense seems to preclude the cycle of works which were to be painted during the following years in the Perruzzi and Bardi Chapels in the Church of S. Croce.

After the poetic heights which characterized the previous scenes, here we find ourselves before a relaxing of the dramatic tension, before a subdued and domestic tone which is expressed in the portrayal of the furnishings (the amphorae, the hanging on the wall) and in the figure of the person drinking on the right.

The latter has been given such a precise characterization to make one think it is a portrait.

La conception spatiale de cette fresque représentant le premier miracle de Jésus, plus ample que les fresques précédentes annonce le cycle des oeuvres que Giotto peindra plus tard à Santa Croce pour les chapelles Peruzzi et Bardi.

Après l'intensité poétique des scènes précédentes, la tension dramatique se relache et la scène prend un ton plus modeste et quotidien avec la représentation des éléments du mobilier (les amphores, le rideau sur le mur) et celle du personnage qui boit sur la droite, décrit avec une précision telle qu'il évoque un portrait.

Der Darstellung des ersten Wunders Jesu liegt ein weiterer räumlicher Entwurf zugrunde, als die bei den vorangegangenen Fresken der Fall war; sie scheint in dieser Hinsicht auf die in späteren Jahren geschaffenen Zyklen in der Kirche S. Croce in der Peruzzi-und Bardikapelle hinzuweisen.

Nach der lyrischen Ausdruckskraft, die die vorangegangenen Szenen kennzeichnete, haben wir es hier mit einem Nachlassen der dramatischen Spannung zu tun, einer gelasseneren und häuslicheren Stimmung, die sich in der Darstellung der Einrichtungsgegenstände (Amphoren, Wandvorhang) und der trinkenden Gestalt auf der rechten Seite ausdrückt, die übrigens so individuell charakterisiert wird, daß man fast an ein Portrait denken könnte.

23

LE NOZZE DI CANA
THE MARRIAGE IN CANA
LES NOCES DE CANA
DIE HOCHZEIT ZU KANA

In questo affresco più evidente è l'ossequio da parte di Giotto alla tradizione iconografica medievale, soprattutto quella miniaturistica.

In questo impianto tradizionale il pittore immette però alcuni elementi di assoluta novità: si noti, ad esempio, la figura del giovane con il mantello verde, colto quasi «in istantanea», in pieno movimento.

Lo schema compositivo è basato sulle linee diagonali (sottolineate dalla conformazione del paesaggio roccioso) e sulla contrapposizione fra il gruppo che circonda Lazzaro, rappresentato nel momento stesso in cui ritorna in vita, e il gruppo di discepoli che segue Gesù benedicente.

Giotto's homage to the medieval iconographic tradition, above all to that of miniature painting, is clearer in this fresco.

However, the painter introduces some completely novel elements into this traditional layout: for example, the figure of the young man in the green cloak, captured in full movement as if "in a snapshot".

The plan of composition is based on diagonal lines (underlined by the conformation of the rocky landscape) and on the contrast between the group surrounding Lazarus, who is depicted in the very moment in which he returns to life, and the group of disciples following Jesus who imparts a blessing.

Ici Giotto respecte de façon plus nette la tradition iconographique médiévale, notamment celle des miniatures.

Mais il insère dans le schéma traditionnel quelques traits radicalement novateurs: on remarquera par exemple la figure du jeune homme au manteau vert qui évoque un "instantané" saisi en plein mouvement.

La composition suit des lignes directrices diagonales — que soulignent les formes du paysage rocheux — et met en évidence l'opposition de deux groupes: celui qui entoure Lazare au moment précis où il revient à la vie, et celui des disciples qui suivent Jésus bénissant la scène.

Hier kommt eine deutliche Huldigung Giottos an die mittelalterliche ikonographische Tradition zum Ausdruck, v.a. was die Miniaturmalerei betrifft.
In dieses traditionell angelegte Bild hat der Künstler jedoch einige absolut neue Elemente eingefügt, wie z.B. die Figur des jungen Mannes mit dem grünen Umhang, der wie in einer Momentaufnahme mitten in einer Bewegung festgehalten ist.
Das Kompositionsprinzip basiert auf den diagonalen Linien (die durch die Formation der Felsenlandschaft noch unterstrichen werden) und auf der Gegenüberstellung der Gruppe, die den gerade wieder zum Leben erwachten Lazarus umgibt, und der Gruppe von Jüngern, die dem Segen erteilenden Christus folgt.

24

LA RESURREZIONE DI LAZZARO
THE RAISING OF LAZARUS
LA RÉSURRECTION DE LAZARE
DIE AUFERWECKUNG DES LAZARUS

Ancora una composizione per gruppi contrapposti, al centro dei quali sta la figura di Cristo benedicente mentre fa il suo ingresso a Gerusalemme.
Le figure dei fanciulli arrampicati sugli alberi sono espressione, secondo la iconografia tradizionale, dell'accoglienza festosa che accompagnò questo evento, e si ricollegano direttamente ad analoghe figure dipinte ad Assisi nei riquadri con il «Pianto delle clarisse».
Si noti sulla destra una figura di donna che curiosamente nasconde il proprio volto sotto il mantello di un personaggio prostratosi al passaggio di Cristo.
Nell'affresco sono evidenti gli interventi dei collaboratori di Giotto.

Another composition with contrasting groups in the centre of which stands the figure of Christ blessing the people as he enters Jerusalem.

The figures of the children who have climbed up the trees are, according to the traditional iconography, the manifestation of the joyful welcome which accompanied this event, and they can be directly associated with similar figures painted in Assisi in the sections depicting the "Weeping of the Poor Clares". On the right you can see the figure of a woman who curiously hides her own face under the mantle of someone prostrate at the passing of Christ.
The hand of Giotto's collaborators is clear in this fresco.

Ici encore la composition s'organise autour de deux groupes opposés, au centre desquels se trouve Jésus bénissant la foule au moment où il fait son entrée dans Jérusalem.
Les figures des enfants escaladant les arbres expriment, selon les codes de l'iconographie traditionnelle, l'accueil joyeux fait au Christ et renvoient en droite ligne aux figures analogues peintes à Assise dans les panneaux représentant Les pleurs des Clarisses. On remarque sur la droite une figure féminine qui cache curieusement le visage sous le manteau d'un personnage prosterné au passage du Christ.
On discerne dans cette fresque des signes indubitables d'interventions dues aux aides de Giotto.

Der Aufbau lebt wieder von gegenübergestellten Gruppen, in deren Mitte der segnende Christus seinen Einzug in Jerusalem hält.

Die Kindergestalten auf den Bäumen versinnbildlichen gemäß der traditionellen Ikonographie den freudigen Empfang, der diesem Anlaß zuteil wurde, und stehen in direktem Zusammenhang mit ähnlich gemalten Figuren in Assisi in den Bildern der "Klagen der Klarissinen". Rechts fällt eine Frauengestalt auf, die ihr Antlitz seltsamerweise unter dem Umhang einer Figur versteckt, die sich vor Christus auf die Knie geworfen hat. Der Anteil von Mitarbeitern Giottos an diesem Fresko ist offensichtlich.

25

INGRESSO DI GESÙ IN GERUSALEMME
CHRIST'S ENTRY INTO JERUSALEM
JÉSUS ENTRANT DANS JÉRUSALEM
EINZUG IN JERUSALEM

LA SCACCIATA DEI MERCANTI DAL TEMPIO
THE MERCHANTS DRIVEN FROM THE TEMPLE
LES MARCHANDS CHASSÉS DU TEMPLE
DIE VERTREIBUNG DER WECHSLER AUS DEM TEMPEL

26

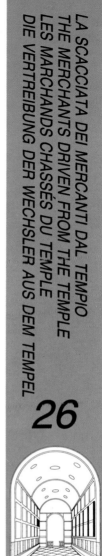

L'affresco, apparentemente in buono stato di conservazione, ha perduto in realtà alcune zone che Giotto aveva aggiunto dipingendole a secco, in seguito ad un ripensamento sull'originale schema compositivo dipinto a fresco.
Al centro campeggia ancora una volta la figura di Cristo, colto con grande dinamismo nel momento in cui si avventa sulle mercanzie dei venditori, che assistono alla scena spaventati e attoniti.
È stato ravvisato come l'architettura del tempio abbia dei riscontri con la facciata del duomo di Siena; secondo altri si tratterebbe invece di reminescenze della facciata della basilica di S. Marco a Venezia.

This apparently well preserved fresco has actually lost some parts which Giotto had added using the secco technique after he had changed his mind about the original plan of composition which had been frescoed.
The figure of Christ once again stands out in the centre.
He is captured with great vitality at the moment when he hurls himself against the sellers' merchandize. The traders watch the scene in fright and astonishment.
It has been noted how the architecture of the Temple has some similarities with the façade of Siena Cathedral; others, however, say that it is reminiscent of the façade of St. Mark's Basilica in Venice.

Apparemment en bon état, cette fresque a perdu en réalité certaines parties, que Giotto, désireux de modifier la composition originale en fresque, avait ajoutées après coup, à sec.

Au centre domine comme toujours la figure du Christ saisi en plein mouvement au moment où il se jette sur les objets vendus par les marchands qui assistent à la scène remplis d'effarement et d'épouvante.

On a remarqué que l'architecture du temple rappelle la facade du dôme de Sienne.
Mais on prétend aussi qu'il pourrait s'agir, chez Giotto, de réminiscences qui auraient trait à la façade de la basilique Saint-Marc à Venise.

Das scheinbar in gutem Zustand befindliche Fresko ist in Wirklichkeit einiger Stellen beraubt, die Giotto auf Trockenverputz nachträglich hinzugefügt hatte.

In der Mitte dominiert wieder die Gestalt des Christus, die in dem Augenblick wiedergegeben wird, als er sich auf die Waren der Händler stürzt, die der Szene erschrocken und bestürzt beiwohnen.

Es ist auf die Ähnlichkeit des Tempels mit der Fassade des Doms von Siena hingewiesen worden, andere Forscher wiederum wollen darin Ankläge an die Fassade der Markuskirche von Venedig erkennen.

41

L'affresco è collocato sul lato sinistro dell'arco trionfale, giusto sotto la figura dell'angelo annunziante, e raffigura Giuda mentre riceve il prezzo del suo tradimento.

È molto visibile, in questo riquadro, lo "stacco" tra le due zone di intonaco (corrispondenti a giornate diverse di lavoro) da sopra la testa del demone fino alla parte opposta dall'affresco.

Ancora, in questo scomparto, si noterà la felicità espressiva dei profili dei personaggi.

L'architettura alle spalle dei due sacerdoti è semplice ed essenziale, ma rivela una maggiore cura dei particolari decorativi.

This fresco is placed on the left side of the triumphal arch, right underneath the figure of the Herald Angel, and depicts Judas as the receives the payment for his treachery.

In this section the "break" between the two areas of plaster (which correspond to the work of two different days), running from above the head of the devil to the opposite side of the fresco, is clearly visible.

The successful expressiveness of the characters' profiles can be noted once again in this section. The architecture behind the two priests is simple and basic but reveals a greater attention to decorative details.

Cette fresque, située sur le côté gauche de l'arc de triomphe, juste au-dessous de l'ange de l'Annonciation, représente Judas au moment où il perçoit la récompense qui lui revient pour sa trahison.

On devine très aisément dans ce panneau la fracture entre les deux parties de l'enduit (correspondant à des phases de travail successives) à partir du dessus de la tête du démon jusqu'à la partie opposée de la fresque.

On notera par ailleurs l'aisance expressive dans le traitement des profils.

L'architecture derrière les deux prêtres est simple et essentielle, tout en révélant un soin accru des détails de la décoration.

Die Abbildung befindet sich auf der linken Seite des Triumphbogens, genau unter dem Verkündigungsengel, und stellt Judas dar, als er den Preis für seinen Verrat in Empfang nimmt.

Beginnend über dem Kopf des Teufels bis hin zur anderen Seite ist sehr deutlich der Ansatz zwischen den beiden Verputzflächen (d.h. zeitlich unterschiedlichen Arbeitsphasen) zu erkennen.

Auch auf diesem Fresko fällt die geglückte Wiedergabe der Gestalten im Profil auf.

Die Bauten im Rücken der beiden Apostel sind schlicht, weisen jedoch eine größere Sorgfalt hinsichtlich der Details auf.

27

IL TRADIMENTO DI GIUDA
BETRAYAL BY JUDAS
LA TRAHISON DE JUDAS
DER VERRAT DES JUDAS

Con questo riquadro, collocato nella fascia inferiore della parete destra della Cappella a partire dall'arco trionfale, inizia la serie dedicata all'illustrazione degli eventi legati alla passione di Cristo. In questa serie di affreschi la critica ha ravvisato una maggiore partecipazione degli aiuti e dei collaboratori di Giotto. Anche in questo caso, alcuni elementi aggiunti a secco in un secondo tempo sono andati perduti: ci riferiamo in particolare ad alcuni motivi ornamentali che decoravano le pareti del Cenacolo, e alle aureole degli apostoli, ora annerite in seguito ad alterazioni chimiche del pigmento pittorico, ma anticamente dipinte secondo un preciso schema iconografico. Lo schema compositivo è quello tipico della tradizione medievale.

This section placed in the lower part of the right wall of the Chapel starting from the triumphal arch, begins the series dedicated to the portrayal of events connected with Christ's Passion.

Here too some elements added at a later stage using the secco technique have been lost: we refer in particular to some ornamental motifs which decorated the walls of the Cenacle, and to the apostles' halos, now blackened as a result of chemical changes in the colour pigment but formerly painted according to a definite iconographical layout. The plan of composition is the typically medieval one; it is the "One of you will betray me" moment: John rests his head in Christ's lap, Judas dips the bread into the wine thus revealing himself to be the traitor.

Ce panneau, placé dans la bande inférieure du mur de droite de la chapelle en partant de l'arc de triomphe, inaugure la série consacrée aux événements entourant la passion du Christ.

Ici encore ont été perdus certains éléments ajoutés à sec lors d'une seconde phase du travail: en particulier certains motifs ornementaux qui décoraient les murs du Cénacle, et les auréoles des apôtres, maintenant noircies à cause des altérations chimiques du pigment pictural, mais qui respectaient au moment où elles furent peintes, un modèle iconographique bien arrêté. La composition se plie aux règles typiques de la tradition médiévale. La scène représente le moment où Jésus prononce la phrase: «En vérité je vous dis que l'un d'entre vous me livrera».

Mit dieser Szene, die sich im unteren Band der rechten Kapellenwand, beginnend ab dem Triumphbogen, befindet, setzt die der Leidensgeschichte Christi gewidmete Bilderreihe ein.

Auch in diesem Fall sind einige nachträglich auf Trockenverputz hinzugefügte Details nicht mehr erhalten. Dies gilt insbesondere für einige Dekorationsmotive an den Wänden des Abendmahlsaals und für die Heiligenscheine der Apostel, die heute infolge chemischer Zersetzungsprozesse schwarz geworden sind. Das Aufbauprinzip folgt der mittelalterlichen Tradition. Das Bild hält den Augenblick des "Einer unter euch wird mich verraten" fest: Johannes Kopf ruht auf dem Schoß Jesu, Judas taucht Brot in den Wein und verrät sich auf diese Weise.

28

43

L'affresco, considerato per la maggior parte autografo, ripete l'ambientazione spaziale e l'architettura dell'affresco precedente.
La scena, tutta pervasa di un'atmosfera raccolta, mostra Gesù nell'atto di lavare i piedi ai suoi discepoli.
Sulla destra è illustrata la ritrosia di Pietro, mentre sulla sinistra un apostolo è impegnato a riallacciarsi i calzari.

This fresco, considered to be mostly by Giotto himself, repeats the spatial setting and architecture of the previous fresco.

The scene is completely pervaded by a spiritual atmosphere. It shows Jesus as he washes his disciples' feet: on the right we can see Peter's reluctance, while on the left an apostle is intent on lacing up his footwear.

Cette fresque, considérée comme en grande partie autographe, propose de nouveau l'organisation et l'architecture de la précédente.

La scène, plongée dans une atmosphère de recueillement, montre Jèsus lavant les pieds de ses disciples: on voit sur la droite Pierre plein de réticence alors qu'à gauche un apôtre relace ses sandales.

Das wohl größtenteils von Giotto selbst ausgeführte Bild verfügt über den gleichen Hintergrund wie das vorangegangene. Die Szene, die eine gesammelte Stimmung vermittelt, zeigt Jesus mit seinen Jüngern im Augenblick der Fußwaschung. Rechts ist der widerspenstige Petrus dargestellt, während links ein Apostel gerade dabei ist, sich die Sandalen zu schnüren.

29

LAVANDA DEI PIEDI
THE WASHING OF THE FEET
LE LAVAGE DES PIEDS
DIE FUßWASCHUNG

Si tratta di uno degli affreschi più famosi del ciclo della Cappella degli Scrovegni, il riquadro nel quale l'altissima forza drammatica che pervade la serie degli affreschi padovani raggiunge forse il suo culmine. La drammaticità della composizione emerge dal violento contrasto tra l'agitazione del gruppo di soldati armati di lance, di bastoni, di torce, ed il gruppo centrale che raffigura, a ritmo rallentato, il momento dell'abbraccio da parte del traditore. La carica espressiva dei profili dei due personaggi centrali è intensissima: alla perfidia del traditore, che avvolge Gesù nel suo ampio mantello, si oppone il muto dolore di Cristo. Si noti, ancora una volta, la felicità della resa prospettica delle figure in secondo e terzo piano.

This is one of the most famous frescoes in the Scrovegni Chapel cycle.
The intense dramatic feeling which pervades the series of Paduan frescoes, perhaps reaches its climax in this painting.
The dramatic force of the composition is the result of the violent contrast between the group of soldiers armed with lances, sticks, torches, and the central group which depicts, at a slower pace, the moment when the traitor embraces Jesus.
The emotional charge of the two central characters' profiles is very intense: the perfidy of the traitor who wraps Jesus in his wide cloak, contrasts with Christ's silent sorrow.
The successful perspective rendering of the minor background figures can again be seen.

C'est l'une des fresques les plus célèbres du cycle de la chapelle des Scrovegni.

La force dramatique qui habite toutes les scènes des fresques de Padoue atteint ici une intensité inégalée. La tension émotive naît du contraste violent entre l'agitation manifestée par le groupe des soldats armés de lances, de bâtons et de torches, et celui du centre qui reprend, au ralenti dirait-on, l'étreinte du traître.

Une grande puissance expressive se dégage des personnages centraux vus de profils.
La perfidie du traître entourant Jésus de son ample manteau contraste avec la souffrance muette du Christ.
On remarquera de nouveau l'heureuse solution perspective des figurs à l'arrière plan.

In diesem Fresko, das zu den berühmtesten der Arenakapelle zählt, erreicht die intensive Dramatik, die den ganzen padovanischen Freskenzyklus durchzieht, ihre wohl größte Verdichtung.
Sie ergibt sich aus dem betonten Kontrast zwischen der bewegten Gruppe von mit Lanzen, Stöcken und Fackeln ausgerüsteten Soldaten und der zentralen, verhalteneren Gruppe, die den Augenblick des verräterischen Kusses wiedergibt. Die Ausdruckskraft der Profile der beiden Hauptpersonen ist von größter Intensität: der Niedertracht des Verräters, der Jesus in seinen weiten Mantel hüllt, wird der stille Schmerz Christi gegenübergestellt. Von neuem sei auf die gelungene perspektivische Darstellung der Figuren in der zweiten und dritten Reihe hingewiesen.

31

Il buono stato di conservazione dell'affresco, che presenta solo alcune parti consunte (come il manto di Cristo, steso a secco in color lapislazzuli), ci permette di ammirare la straordinaria libertà compositiva dell'ideazione giottesca, che sa emanciparsi con decisione dalle convenzioni e dagli schemi iconografici tradizionali.

L'ambientazione è situata in un interno; la scena notturna è illuminata da una fiaccola, che ora risulta annerita.

Si tratta di un effetto di sconvolgente novità per la pittura del tempo, ancora in prevalenza legata ai principi antinaturalistici tipici dell'età medievale.

The good condition of this fresco, which only has a few worn parts (such as Christ's mantle applied using the secco technique in a lapis lazuli colour), allows us to admire the extraordinary freedom of composition of Giotto's creativity which knew how to make a definite break with conventions and traditional iconographical layouts.

The setting is an interior; the nocturnal scene is illuminated by a torch which is now blackened. It is a disturbingly novel effect for the art of painting which was still mainly linked to the antinaturalistic concepts typical of the Middle Ages.

Cette fresque en bon état, dont seules de rares parties sont détériorées (notamment le manteau du Christ, réalisé à sec, de couleur lapis-lazuli), nous permet d'admirer l'extraordinaire liberté de la composition grâce à laquelle Giotto réussit à se libérer définitivement des conventions et des modèles iconographiques traditionnels: la scène se passe dans un intérieur, de nuit, à la lumière d'une torche maintenant noircie.

C'est là une nouveauté bouleversante pour la peinture du temps qui restait fortement attachée aux principes antinaturalistes chers au Moyen Age.

Der gute Zustand dieses Freskos, das nur wenige verblichene Stellen aufweist (das Gewand Christi z.B., mit Lapislazuli auf Trockenverputz gemalt), erlaubt uns ein eingehenderes Studium der außerordentlichen kompositorischen Freiheit des Entwurfs, der eine Emanzipation Giottos von den überlieferten Konventionen und ikonographischen Modellen darstellt.

Die nächtliche Szene spielt sich in einem Innenraum ab, der von einer nunmehr schwarz gewordenen Fackel beleuchtet wird. Es handelt sich hier um eine für die Malerei unglaubliche Neuigkeit, die Überwindung der für das Mittelalter gültigen antinaturalistischen Prinzipien.

32

Lo schema compositivo dell'affresco, ambientato ancora una volta in un interno, è alquanto complesso.

La figura di Cristo è collocata sulla sinistra, priva di quegli attributi divini presenti invece nelle altre scene della Passione. Giotto sceglie di esaltare il lato umano della figura di Cristo, completamente in balìa dei suoi persecutori innalzando cosí fortemente la drammaticità della composizione.

Il gruppo dei flagellatori è bilanciato, sulla destra, dalle figure di Pilato, che entra all'improvviso e chiede spiegazioni di quello scempio, e della moglie, che guarda pietosamente il flagellato. Al centro, domina la figura di un uomo di colore che sta per avventarsi sul Cristo coronato di spine.

The plan of composition of this fresco, once again set in an interior, is somewhat complex. The figure of Christ stands on the left, bereft of those divine attributes which are nevertheless present in the other scenes of the Passion.

Giotto chose to exalt the human side of the figure of Christ who is completely at the mercy of his persecutors, thus strongly increasing the dramatic force of the composition.

The group of scourgers is balanced on the right by the figures of Pilate, who suddenly enters and asks for explanations of that foolish act, and of his wife who compassionately watches the scourged man.

In the centre stands the dominating figure of a coloured man about to fling himself against Christ who is crowned with thorns.

La composition de cette scène — ici encore un intérieur — est d'une grande complexité. La figure du Christ, placée sur la gauche, est dépourvue des attributs divins que l'on trouve dans les autres scènes de la Passion.

Giotto préfère exalter ici la dimension humaine de Jésus livré sans défense à ses bourreaux, pour accentuer autant que faire se peut le caractère dramatique de la scène.

Le groupe des flagellateurs fait pendant, sur la droite, aux figures de Pilate entrant à l'improviste pour s'enquérir des raisons de ce massacre, et de son épouse qui regarde avec compassion l'homme livré aux coups.

Au centre domine la figure d'un homme de couleur qui s'apprête à se jeter sur le Christ couronné d'épines.

Der Aufbau des Freskos, dessen Geschehen wieder in einen Innenraum verlegt ist, zeugt von ähnlicher Dichte. Die Christusgestalt befindet sich zur Linken, bloß jener göttlichen Attribute, die sie in den anderen Szenen des Zyklus aufweist. Giotto kam es hier darauf an, die menschliche Seite der Gestalt Christi hervorzuheben, der seinen Verfolgern gänzlich preisgegeben ist. Auf diese Weise erhält die Szene eine betont dramatische Aussage.

Die Gruppe der Geißelknechte wird kompositorisch auf der rechten Seite durch die Figuren des Pilatus, der unvermittelt hinzutritt und nach einer Erklärung verlangt, und dessen Frau, die voller Mitleid auf den Gegeißelten blickt, ausgewogen. Die Bildmitte wird von einem Mohren beherrscht, der im Begriff ist, sich auf den dornengekrönten Christus zu stürzen.

L'affresco appare alquanto consunto.

È evidente nel riquadro l'estesissimo intervento dei collaboratori, anche se il disegno generale pare essere chiaramente giottesco.

Autografi sono senz'altro la figura del Cristo (che sorregge una croce molto grande e alquanto goffa) e il volto drammaticamente sconvolto della Madonna. Nel riquadro è raffigurata la stessa porta già dipinta nell'ingresso di Cristo a Gerusalemme.

La città santa ha ripudiato il Salvatore che si avvia, tra il corteo di folla, al Calvario.

The fresco appears somewhat worn.

Even though the general plan seems to be clearly by Giotto himself, the extensive presence of his collaborators is evident in this section.

The figure of Christ (who carries a very large and rather clumsy cross) and the dramatically upset face of the Madonna are certainly by Giotto himself.

The same gate already painted in "Christ's Entry into Jerusalem" reappears in this section: the holy city has repudiated the Saviour who makes his way to Calvary amidst crowds of people.

La fresque est en très mauvais état.

On devine clairement dans ce panneau l'intervention massive des collaborateurs de Giotto, bien que le dessin de l'ensemble apparaisse sûrement giottesque.

La figure du Christ (qui soutient une croix très grande et encombrante) et le visage dramatique et bouleversé de la Vierge sont sans le moindre doute dûs à Giotto lui-même. On retrouve ici la porte déjà présente dans le tableau représentant l'entrée du Christ dans Jérusalem: la ville sainte a désormais répudié le Sauveur qui s'achemine vers le Calvaire escorté par la foule.

Das schlecht erhaltene Fresko ist offensichtlich weitgehend von Giottos Mitabeitern ausgeführt worden, auch wenn der Gesamtentwurf eindeutig die Autorenschaft Giottos verrät.

Aus seiner Hand stammt sicher die Figur des Christus (der etwas ungeschickt ein riesiges Kreuz trägt) und das von Schmerzen gezeichnete Gesicht der Madonna.

Auf dem Bild ist dasselbe Tor wie bei Christi Einzug in Jerusalem wiedergegeben: die heilige Stadt hat den Retter, de sich nun unter dem Gefolge der Menge zum Kalvarienberg begibt, verstoßen.

33

L'ANDATA AL CALVARIO
THE ASCENT TO CALVARY
LA MONTÉE AU CALVAIRE
DIE KREUZTRAGUNG

La composizione, estremamente ossequiosa nei confronti dei canoni iconografici tradizionali, è dominata dalla grande croce sulla quale è stato immolato Cristo. Nel cielo aleggia una serie di angeli straziati dal dolore, ben diversi da quelli dipinti sulla parete opposta che annunziavano festosi la nascita del Salvatore. Sulla destra è il gruppo dei soldati che si dividono le vesti mentre sulla sinistra campeggia il gruppo delle pie donne, che sorregge Maria straziata dal dolore. L'alto livello qualitativo dell'affresco è stato spesso rilevato dai critici, nonostante il riquadro mostri l'intervento di alcuni collaboratori L'affresco appare leggermente rovinata nella zona del cielo e mostra evidenti i segni dell'intonaco corrispondenti alle varie giornate di lavoro.

The composition which is extremely respectful of traditional iconographical concepts, is dominated by the large cross on which Christ has been sacrificed. A series of grief-stricken angels hovers in the sky.

They are very different from those painted on the opposite wall who joyfully announce the Saviour's birth. On the right the soldiers are dividing up the clothes among them while on the left prominence is given to the group of pious women who support Mary, overcome by grief.

The critics have often pointed out the high quality of the fresco, despite the fact that the painting shows the hand of some collaborators. The fresco is slightly damaged in the sky area and clearly shows the plaster joins corresponding to different day's work.

La composition, très fidèle aux règles iconographiques traditionnelles, est dominée par la présence de la grande croix sur laquelle est immolé le Christ. Dans les cieux évoluent des anges déchirés de douleur, bien différents de ceux qui, sur la paroi opposée, célèbrent dans la liesse la naissance du Sauveur.

Un groupe de soldats fait pendant à un autre groupe, celui des femmes pieuses qui soutiennent Marie effondrée de chagrin.

La critique a souligné à plusieurs reprises la grande qualité de cette fresque en dépit de l'intervention de certains collaborateurs du maître.

Le ciel est légèrement détérioré et la fresque trahit Les signes évidents des enduits successifs, dus aux interruptions d'une journée de travail à l'autre.

Die äußerst traditionell aufgebaute Szenerie wird von dem großen Kreuz beherrscht, an das Christus gehängt wurde. Der Himmel ist von einer Reihe vom Schmerz überwältigter Engel bevölkert, die in krassem Gegensatz zu denen auf der gegenüberliegenden Wand stehen, welche voller Freude die Geburt des Retters Verkündeten. Rechts befindet sich die Gruppe der Soldaten, die sich die Kleider teilen, während links eine Gruppe frommer Frauen dargestellt ist, die die schmerzensreiche Maria stützen. Obwohl an der Durchführung des Bildes offensichtlich auch Schüler beteiligt waren, ist von den Kunsthistorikern häufig das hohe Darstellungsniveau hervorgehoben worden. Das Fresko ist in der Gegend des Himmels leicht beschädigt und weist deutlich die Ansatzstellen des an verschiedenen Tagen durchgeführten Verputzes auf.

34

Si tratta forse dell'affresco in assoluto più famoso dell'intero ciclo per l'altissima forza drammatica che informa l'intera composizione. Con una iconografia nuova rispetto agli schemi medievali, Giotto concentra il nucleo drammatico della scena nella zona in basso a sinistra dove sono dipinti il volto della Madonna, straziato dal dolore per la perdita del figlio, e quello esanime del Cristo morto. L'alto sentimento di afflizione e di pena che domina il riquadro è ripreso dal nudo paesaggio roccioso sul quale nasce un albero rinsecchito. Il sentimento di drammaticità «cosmica» è accentuato dallo strazio delle schiere angeliche. Si noti l'ormai raggiunta maturità giottesca nel rendere i profili dei personaggi e il senso prospettico delle figure.

This is perhaps the most famous fresco in the whole cycle because of its very intense dramatic force which imbues the entire composition. Its iconography is new with respect to medieval layouts and is one which will often be repeated over the following centuries. Giotto concentrates the dramatic nucleus of the scene in the lower left area where the face of the Madonna, grief-stricken over the loss of her son, and the lifeless face of the dead Christ are painted. The intense feeling of pain and suffering which dominates the painting, is taken up again by the bare, rocky landscape out of which a dried-up tree is growing. The feeling of "cosmic" dramatic force is emphasized by the grief of the angel hosts. You can note Giotto's now full maturity in depicting the profiles of people and the perspective sense of the figures.

Il s'agit peut-être de la fresque la plus célèbre de tout le cycle en raison de la puissance dramatique qui émane de toute la composition. Par rapport aux modèles médiévaux Giotto inaugure ici une iconographie novatrice qui sera reprise par les peintres des siècles suivants. Il concentre le coeur du drame en bas à gauche dans les visages de la Vierge affligée par la mort de son fils et du Christ inanimé. Le sentiment d'affliction et de douleur qui émane de cette scène se répercute dans le paysage rocheux et dépouillé où pousse un arbre desséché. La douleur manifestée par les anges accentue la dimension cosmique du drame.

Bei diesem Fresko handelt es sich vielleicht um das berühmteste des ganzen Zyklus, da es die stärkste dramatische Intensität überhaupt ausstrahlt. Abweichend von den mittelalterlichen Vorbildern — und zukunftsweisend, wie die in späteren Jahrhunderten erfolgten Übernahmen beweisen — verlegt Giotto den dramatischen Kern der Szene nach unten links, wo das vom Schmerz gezeichnete Antlitz der Madonna, die den Tod ihres Sohnes beweint, und das bleiche des toten Christus die Komposition beherrschen. Der das Bild beherrschende Ausdruck von Pein und Schmerz spiegelt sich in der kahlen Felsenlandschaft wider, in der nur ein dürrer Baum wächst. Die geradezu kosmische Dramatik wird durch den Schmerz der Engelsscharen noch betont.

35

COMPIANTO SU CRISTO MORTO
LAMENTATION FOR CHRIST
LES LAMENTATIONS SUR LE CHRIST MORT
DIE BEWEINUNG CHRISTI

In conformità al racconto degli evangelisti, l'evento della Resurrezione non è rappresentato direttamente, bensì attraverso l'illustrazione di eventi ad essa legati. Nel riquadro della Cappella degli Scrovegni la Resurrezione è resa attraverso i due episodi del sepolcro vuoto con i due angeli e del "Noli me tangere". In primo piano, a sinistra, dinanzi al sepolcro del Redentore sul quale sono seduti i due angeli, stanno i soldati dormienti: la loro rappresentazione consente a Giotto di sfoggiare la propria abilità nel rendere prospetticamente le figure. Sulla destra è raffigurato il momento dell'apparizione di Cristo alla Maddalena.

In accordance with the story told by the Evangelists, the Resurrection is not directly depicted but rather portrayed through events connected to it. In the Scrovegni Chapel painting, the Resurrection consists of two episodes: the empty tomb with the two angels, and the "Noli me tangere". In the left foreground, in front of the Redeemer's tomb on which two angels are seated, lie the sleeping soldiers: their portrayal allows Giotto to display his ability to give figures perspective depth. Christ's apparition to Mary Magdalene is depicted on the right. The upper part of the fresco had been repainted in earlier times, perhaps because it was worn; however, the trees whose trunks can be distinguished on the hill to the left, have disappeared.

Selon le récit des évangélistes, la résurrection n'est pas représentée directement mais à travers l'illustration des événements qui lui sont liés. Dans le panneau de la chapelle des Scrovegni, la Résurrection est illustrée par l'épisode du sépulcre vide avec deux anges et par celui du Noli me tangere ("ne me touchez pas"). Au premier plan à gauche deux soldats dorment devant le tombeau du Rédempteur sur lequel sont assis deux anges: Giotto met ici en oeuvre toute son habilité pour rendre les figures en perspective.
Sur la droite l'artiste a représenté l'apparition du Christ à Marie la Magdaléenne. La partie supérieure de la fresque fut autrefois repeinte, sans doute parce qu'elle était détériorée.
Mais les arbres dont l'on devine les troncs sur la colline à gauche, ont maintenant disparu.

In Übereinstimmung mit dem Bericht der Evangelisten wird nicht die Auferstehung selbst dargestellt, sondern die mit ihr verbundenen Ereignisse. Die Auferstehung wird hier indirekt durch die zwei Episoden des leeren Grabes mit den zwei Engeln und des "Noli me tangere" thematisiert. Links im Vordergrund befinden sich vor dem Grab des auferstandenen Christus, auf dem die zwei Engel sitzen, die schlafenden Soldaten, deren Darstellung Giotto eine Probe seiner Kunstfertigkeit in der Perspektivemalerei erlaubt. Rechts ist die Erscheinung Christi vor Magdalena wiedergegeben. Der obere Teil des Freskos ist in früheren Zeiten neu gemalt worden, vermutlich, weil er beschädigt war. Die Bäume, deren Stämme man links auf dem Hügel noch erkennen kann, sind jedoch verschwunden.

36

RESURREZIONE (NOLI ME TANGERE)
THE RESURRECTION (NOLI ME TANGERE)
LA RÉSURRECTION (NOLI ME TANGERE)
AUFERSTEHUNG (NOLI ME TANGERE)

37

La critica è unanime nel riconoscere nell'affresco l'intervento piuttosto consistente. degli aiuti di Giotto.

Ciononostante, il riquadro colpisce per la vivacità cromatica degli abiti degli apostoli riuniti in preghiera, mentre Cristo sale al cielo tra le schiere angeliche.

La solenne estaticità della scena è leggibile soprattutto nel volto della Madonna, che appare tra i particolari più curati dell'intera composizione, sicuramente di mano giottesca.

L'affresco appare in generale piuttosto consunto ed è attraversato da alcune crepe superficiali.

The critics all agree that this fresco shows a rather substantial presence of Giotto's helpers.

Nevertheless, the picture is striking because of the chromatic brightness of the clothes of the apostles who are gathered in prayer while Christ ascends into heaven amid the angel hosts.

The solemn ecstasy of the scene is clear above all in the Madonna's face which is one of the best executed details in the whole composition and certainly carried out by Giotto himself.

In general the fresco is rather worn and is crossed by some superficial cracks.

La critique reconnaît d'un commun accord que ce panneau est celui qui a subi les interventions les plus massives des assistants de Giotto.

Il n'en reste pas moins frappant par la vivacité chromatique des vêtements des apôtres que l'on voit ici plongés dans leur prière tandis que le Christ monte au ciel entouré de nuées d'anges.

L'extase et la solennité sont peintes notamment sur les traits de la Vierge, représentée avec une extrême minutie, certainement de la main de Giotto lui-même.

Dans l'ensemble, la fresque est plutôt endommagée avec quelques fissures de la superficie.

Die Kunsthistoriker sind sich darin einig, daß der Anteil der Schüler Giottos an diesem Gemälde beträchtlich ist.

Trotzdem besticht das Bild durch die Lebendigkeit der Farben, mit denen die Gewänder der Apostel wiedergegeben sind, welche im Gebet Wereint der Himmlfahrt Christi zwischen Engelsscharen beiwohnen.

Die feierliche Heiterkeit der Szene drückt sich vor allem im Gesicht der Madonna aus, das das insgesamt am sorgfältigsten durchgeführte Detail erscheint und mit Sicherheit der Hand Giottos entstammt.

Das Fresko befindet sich in keinem guten Zustand und ist von einigen Rissen in der Oberfläche durchzogen.

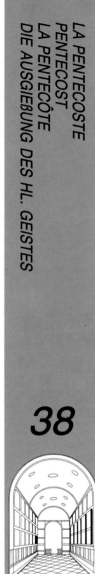

38

Anche in questa scena è evidente l'intervento di aiuti e collaboratori.
L'episodio della discesa dello Spirito Santo sugli apostoli riuniti è inserito all'interno di una architettura dalle pure linee gotiche, che allude direttamente all'architettura gotica contemporanea.
Lo schema compositivo del riquadro riprende quello di alcuni affreschi del ciclo assisiate, in particolare quello raffigurante l'apparizione al Concilio di Arles. Con la rappresentazione di questo episodio si chiude il ciclo degli affreschi riguardanti la vita di Cristo.
Passeremo ora all'analisi delle figurazioni allegoriche dipinte all'interno della decorazione del basamento.

The hand of helpers and collaborators is also clear in this scene. This episode depicting the descent of the Holy Ghost onto the gathered apostles, is inserted into a pure Gothic style of architecture which directly referred to contemporary Gothic architecture.

The plan of composition of this painting goes back to that of some frescoes in the Assisi cycle, in particular the one portraying the "Apparition to the Council of Arles".

This episode concludes the cycle of frescoes dedicated to the life of Christ. Now we will pass on to consider the allegorical figures painted within the decoration of the wall base.

Ici encore la main des assistants et des collaborateurs du maître apparaît évidente.

L'épisode de la descente de l'Esprit Saint sur les apôtres réunis s'inscrit dans une architecture aux lignes gothiques pures qui renvoie en droite ligne au style de l'époque. Le plan de la composition reprend celui de certaines fresques du cycle d'Assise, notamment celui de l'apparition au Concile d'Arles.

Avec cet épisode s'achève le cycle des fresques ayant trait à la vie du Christ.

Nous passons maintenant à l'examen des figurations allégoriques peintes à l'intérieur de la décoration du soubassement.

Auch bei dieser Szene ist die Mitarbeit von Gehilfen deutlich zu erkennen.

Die Niederkunft des Heiligen Geistes auf die versammelten Apostel findet innerhalb des Rahmens einer rein gotischen Architektur statt, die unmittelbar auf den zeitgenössischen Baustil anspielt.

Im Aufbau des Bildes greift Giotto auf einige Fresken des Assisi-Zyklus zurück, insbesondere auf die Erscheinung beim Konzil von Arles.

Mit dieser Darstellung schließt der Freskenzyklus, der das Leben Christi zum Thema hat, ab. Im folgenden werden die allegorischen Darstellungen beschrieben, die im Inneren der Sockeldekoration angebracht sind.

GIUDIZIO UNIVERSALE

La parete di fondo della cappella è occupata per intero dalla grandiosa scena raffigurante il Giudizio Universale.
L'affresco segue, nello schema compositivo generale, l'iconografia tradizionale del Medioevo. È opinione comune che limitato sia stato l'influsso del poema dantesco nella rappresentazione giottesca dei mondi ultraterreni: alcuni echi sono forse visibili soltanto in qualche particolare dell'Inferno.
L'autografia giottesca è stata accertata solo per alcune zone dell'affresco. È probabile che Giotto, dopo aver tracciato il disegno generale, abbia lasciato ai propri collaboratori l'incarico di dare inizio alla decorazione; solo dopo la conclusione della dipintura delle pareti della cappella, egli stesso avrebbe portato a termine l'affresco. Di mano giottesca sarebbero dunque la figura di Cristo (del quale è stata ravvisata l'estrema somiglianza con il Cristo del riquadro con la Resurrezione), della Vergine e delle schiere angeliche, oltreché il gruppo di figure comprendente il ritratto di Enrico Scrovegni.
Al centro dell'affresco campeggia la figura di Cristo all'interno della tradizionale mandorla iridata; nella parte superiore sono le schiere angeliche a zone sovrapposte. Ai lati di Cristo sono raffigurati i troni angelici; sulla destra prendono posto i santi e gli eletti, mentre sulla sinistra sono dipinte le figure dei reprobi e dei dannati. I due gruppi di figure sono separati da una grande croce sorretta dagli angeli.

THE LAST JUDGEMENT

The far wall of the Chapel is entirely taken up by the magnificent scene depicting the Last Judgement.
The general plan of composition of the fresco follows the traditional medieval iconography. It is commonly thought that the influence on Giotto's portrayal of the worlds of the afterlife by Dante's poem was limited: perhaps a few echoes can be seen only in some details of Hell. It has been established that only some parts of the fresco are by Giotto himself. It is probable that Giotto, after sketching in the general drawing, left his own collaborators the task of beginning the decoration; he himself was to have finished the fresco only after completing the painting of the Chapel walls. Nevertheless, the figure of Christ (whose close likeness to the Christ in the Resurrection painting has been pointed out), of the Virgin and of the angel hosts, as well as the group of figures including the portrait of Enrico Scrovegni, are considered to be by Giotto.
The figure of Christ stands out in the centre of the fresco within the traditional rainbow-hued mandorla; in the upper part there are overlapping areas of angel hosts.

The angelic thrones are depicted on each side of Christ; the Saints and the chosen few take their place on his right, while the figures of the reprobates and the damned are painted on his left. The two groups of figures are divided by a large cross held up by the angels. In the lower part, to the right of the cross, there is the figure of Enrico degli Scrovegni as he symbolically offers the Virgin a small model of the Chapel.

LE JUGEMENT DERNIER

Le mur du fond de la chapelle est tout entier occupé par la scène majestueuse du Jugement dernier.
La composition d'ensemble de cette oeuvre respecte l'iconographie traditionnelle du Moyen Age. On estime généralement que le poème dantesque n'eut qu'une influence relative dans la représentation que nous livre Giotto de l'univers ultra terrestre. On en retrouve peut-être quelques échos dans certains détails de l'Enfer.
Seules certaines parties de la fresque sont de la main de Giotto.
Il est probable qu'après avoir esquissé le dessin de l'ensemble, Giotto laissa à ses assistants le soin de commencer la décoration.
Sans doute n'a-t-il achevé personnellement la fresque qu'après avoir complété les oeuvres qui occupent les murs de la chapelle.
Par conséquant, seraient de la main de Giotto la figure du Christ (dont on a remarqué l'extrême ressemblance avec le Christ du panneau de la Resurrection), celles de la Vierge et des nuées d'anges, ainsi que le groupe des figures comprenant le portrait d'Enrico Scrovegni.

La fresque est dominée à son centre par la figure du Christ à l'intérieur de la mandorle traditionnelle irisée. Dans la partie supérieure les anges sont disposés en rangs superposés. Les trônes des anges entourent le Christ: sur la droite prennent place les saints et les élus, sur la gauche les réprouvés et les damnés. Une grande croix soutenue par des anges sépare ces deux groupes.

WELTGERICHT

Die Rückwand der Kapelle wird vollständig von der eindrucksvollen Darstellung des Jüngsten Gerichts eingenommen.
Das Fresko folgt vom Aufbau her der traditionellen mittelalterlichen Ikonographie. Es herrscht allgemein Übereinstimmung darin, daß man nur in sehr beschränktem Maße von einem Einfluß Dantes auf Giottos Darstellung der überirdischen Welten sprechen kann. Allenfalls bei einigen Details der Hölle sind Anklänge an Dante erkennbar.
Nur einige Teile des Freskos werden Giotto selbst zugeschrieben. Möglicherweise hat er nach der groben Skizzierung der ganzen Szene die Ausführung selbst seinen Schülern überlassen und erst nach der Fertigstellung der Bemalung der anderen Kapellenwände das Fresko eigenhändig vollendet. Aus seiner Hand soll die Christusfigur (deren auffallende Ähnlichkeit mit dem Christus der Auferstehungsszene hervorgehoben wurde), die der Jungfrau Maria und der Engelsscharen stammen, sowie die Figurengruppe mit dem Bildnis des Enrico Scrovegni
Im Zentrum des Freskos steht die Figur Christi im traditionellen, schillernden, mandelförmigen Heiligenschein. Darüber schweben mehrere Gruppen von Engelsscharen. Zur Rechten Christi sitzen die Heiligen und Auserwählten, zu seiner Linken sind die Unseligen und Verdammten abgebildet. Die beiden Figurengruppen sind durch ein großes, von Engeln getragenes Kreuz voneinander getrennt. Im unteren Teil, rechts vom Kreuz, ist die Gestalt des Enrico degli Scrovegni wiedergegeben, der der Jungfrau symbolisch ein kleines Modell der Kapelle reicht.

39

40

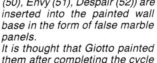

41

42

ALLEGORIE DELLE VIRTÙ E DEI VIZI

Inserite nel basamento dipinto, come abbiamo visto, a finti specchi marmorei, sono le figurazioni allegoriche delle 7 virtù (dall'ingresso al presbiterio sulla destra: Speranza (39), Carità (40), Fede (41), Giustizia (42), Temperanza (43), Fortezza (44), Prudenza (45)) e dei 7 vizi (dal presbiterio all'ingresso, a sinistra: Stoltezza (46), Incostanza (47), Ira (48), Ingiustizia (49), Infedeltà (50), Invidia (51), Disperazione (52)).
Si ritiene che Giotto le abbia eseguite dopo aver completato il ciclo degli affreschi di soggetto biblico sulle pareti della cappella, avvalendosi in qualche caso dell'aiuto dei collaboratori. Queste raffigurazioni delle virtù e dei vizi ad esse contrari rientrano appieno in una concezione pittorica di tipo didascalico tipicamente medievale, secondo la quale la pittura doveva essere narrazione degli eventi della storia della salvezza e, al tempo stesso, rappresentare le virtù morali della dottrina cattolica e i vizi che potevano condurre alla dannazione eterna.
La critica ha in genere sottolineato il carattere dimesso e prosastico degli affreschi in contrapposizione a quello solenne e drammatico delle figurazioni bibliche.

THE ALLEGORIES OF THE VIRTUES AND THE VICES

As we have seen, the allegorical figures of the 7 virtues (from the entrance to the presbytery on the right: Hope (39), Charity (40), Faith (41), Justice (42), Temperance (43), Fortitude (44), Prudence (45)) and of the 7 vices (from the presbytery to the entrance on the left: Foolishness (46), Inconstancy (47), Ire (48), Injustice (49), Unfaithfulness (50), Envy (51), Despair (52)) are inserted into the painted wall base in the form of false marble panels.
It is thought that Giotto painted them after completing the cycle of frescoes with biblical subject-matter on the Chapel walls, sometimes making use of the help of collaborators. These portrayals of the virtues and their opposite vices fully falls within a typically medieval didactic concept of painting, according to which painting had to be a narration of the events from the moral virtues of the Catholic doctrine and the vices which could lead to eternal damnation.
In general the critics have underlined the subdued, prosaic character of these frescoes in contrast with the solemn, dramatic character of the biblical scenes.

43

44

45

40

47

48

49

ALLÉGORIES DES VERTUS ET DES VICES

Dans le soubassement décoré en faux panneaux de marbre sont insérées les allégories des sept vertus (sur la droite, depuis l'entrée jusqu'au presbytérium: l'Espérance (39), la Charité (40), la Foi (41), la Justice (42), la Tempérance (43), la Force (44) et la Prudence (45)), et celles des sept vices (sur la gauche, du presbytérium à l'entrée: la Sot-

tise (46), l'Incostance (47), la Colère (48), l'Injustice (49), l'Infidélité (50), l'Envie (51), le Désespoir (52)).
On pense que Giotto travailla à ces allégories lorsqu'il eut achevé le cycle des fresques d'inspiration biblique sur les murs de la chapelle en se servant ça et là de l'aide de ses assistants. Les figurations des vices et des vertus répondent en tous points à une conception picturale didactique, typique du

Moyen Age, la peinture ayant pour tâche de raconter des épisodes de l'histoire du salut et, en même temps, de représenter les vertus morales de la doctrine catholique et les vices susceptibles de conduire à la damnation éternelle.
La critique a généralement souligné le ton modeste et prosaïque de ces fresques si on les compare à la solennité dramatique des figurations bibliques.

DIE ALLEGORIEN DER LASTER UND TUGENDEN

Der in der Art von Marmorpaneelen bemalte Sockel enthält die allegorischen Darstellungen der sieben Tugenden (vom Eingang zum Chor auf der rechten Seite: Hoffnung (39), Nächstenliebe (40), Glaube (41), Gerechtigkeit (42), Besonnenheit (43), Tapferkeit (44), Klugheit (45)), und der sieben Laster (auf der linken Seite vom Chor zum Eingang: Torheit (46), Unbeständigkeit (47), Zorn (48), Ungerechtigkeit (49), Ungläubigkeit (50), Neid (51), Verzweiflung (52)).
Es wird angenommen, daß Giotto sie nach der Vollendung des Freskenzyklus an den Kapellenwänden unter Mithilfe seiner Gehilfen ausgeführt hat. Diese Darstellungen der Tugenden und ihnen entsprechenden Laster entspringen einem typisch mittelalterlichen Konzept von lehrhafter Malerei, deren Aufgabe es war, die Ereignisse der Heilsgeschichte aufzuzeichnen und gleichzeitig die moralischen Tugenden der katholischen Heilslehre und die Laster, die zur ewigen Verdammnis führen, darzustellen.
Von der Kunstgeschichte ist übereinstimmend der prosaische und verhaltene Charakter dieser Fresken im Verhältnis zur Dramatik und Feierlichkeit der biblischen Darstellungen betont worden.

50

51

52

La volta della cappella è suddivisa da tre fasce trasversali in due scomparti. Nella fascia sopra l'arco trionfale sono raffigurati i volti di Angeli e di Santi alternativamente, entro piccoli riquadri. Nella fascia centrale sono dipinte figure di Santi coronati; simili oggetti appaiono pure nella fascia posta sopra il Giudizio universale. I due scomparti comprendono rispettivamente un medaglione con la figura della Madonna col Bambino ed altri quattro minori con teste di profeti, ed un secondo medaglione con la mezza figura di Cristo in gloria benedicente.
La critica è unanime nel considerare queste figurazioni come opera di scolari di Giotto, pur riconoscendone, in taluni brani, l'alta qualità formale. Si ritiene che la volta sia stata l'ultima zona della cappella ad essere affrescata, forse completata addirittura verso il 1310.

The Chapel vault is subdivided into two compartments by three transverse panels.
The faces of Angels and of Saints are alternatively portrayed within small sections in the panel above the triumphal arch. Crowned Saints are painted on the central panel; similar subject-matter also appears on the panel above the Last Judgement. The two compartments comprise

respectively a medallion with the figure of the Madonna and Child and four minor ones with prophets' heads, and a second medallion with the half figure of Christ in glory giving his blessing.
The critics unanimously agree in considering these portrayals to be the work of Giotto's followers, although they recognize in some parts the high formal quality. It is thought that the vault was the last part of the Chapel to be frescoed, and perhaps completed towards 1310.

La voûte de la chapelle est composée de trois bandes transversales divisées en deux compartiments. Dans la bande surmontant l'arc de triomphe s'alternent dans de petits encadrements les visages des anges et des saints. La bande centrale contient les figures de saints couronnés que l'on retrouve également dans la bande surmontant directement la scène du Jugement dernier. Les deux compartiments comprennent respectivement un médaillon avec la figure de la Vierge avec l'Enfant et quatre autres médaillons de dimensions moindres avec des têtes de prophètes, et un second médaillon avec un buste du Christ en gloire donnant la bénédiction.
La critique s'accorde pour attribuer ces figurations aux élèves de Giotto, tout en reconnaissant la grande qualité formelle de certaines d'entre elles. On pense que la voûte fut la dernière partie de la chapelle à être décorée de fresques et que les travaux se prolongèrent jusque dans les années 1310.

Die Kapellendecke ist durch drei Querstreifen in zwei Felder unterteilt. Auf dem Band über dem Triumphbogen sind abwechselnd innerhalb kleiner Rahmen Engels- und Heiligenköpfe dargestellt. Das mittlere Band enthält gekrönte Heiligengestalten, und mit ähnlichen Motiven ist auch das Band über dem Jüngsten Gericht geschmückt. Die beiden Felder weisen jeweils ein Medaillon mit der Madonnengestalt mit Kind und vier kleinere Werke mit Prophetenköpfen auf, sowie ein zweites Medaillon mit der Halbfigur des segnenden Christus im Glorienschein.
Trotz der teilweise hohen Qualität der Darstellungen werden sie von der Kunstgeschichte einstimmig den Schülern Giottos zugeschrieben. Es wird davon ausgegangen, daß die Decke der Kapelle zuletzt bemalt wurde, vermutlich überhaupt erst um 1310.

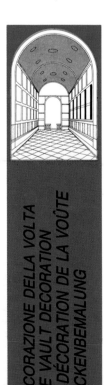

DECORAZIONE DELLA VOLTA
THE VAULT DECORATION
LA DÉCORATION DE LA VOÛTE
DECKENBEMALUNG